THE GOSPEL ACCORDING TO LARRY

Janet Tashjian

THE GOSPEL ACCORDING TO LARRY

VERBETER DE WERELD, BEGIN BIJ JE BLOG

Vertaald door Annelies Verhulst

Lemniscaat Rotterdam

© Nederlandse vertaling Annelies Verhulst 2010
Omslag: naar het ontwerp van de uitgave van Puffin Books
Nederlandse rechten Lemniscaat b.v. Rotterdam 2010
ISBN 978 90 477 0209 2
The Gospel According to Larry, copyright © Janet Tashjian, 2001
First published by Henry Holt and Company LLC, 175 Fifth Avenue,
New York, NY 10010, USA

Druk en bindwerk: HooibergHaasbeek, Meppel

Dit boek is gedrukt op milieuvriendelijk, chloorvrij gebleekt en verouderingsbestendig papier en geproduceerd in de Benelux waardoor onnodig milieuverontreinigend transport is vermeden.

Voor Josh...(en Larry)

waar je ook bent

beste lezer,

Toen ik in de rij stond voor de kassa van onze plaatselijke supermarkt, kwam er een jongeman op me af, die me vroeg hoe laat het was. Ik zei dat het tien over vier was (ik weet het nog precies) en ging verder met het legen van mijn karretje op de band. Hij bleef bij de uitgang van de winkel rondhangen en toen ik wegging kwam hij weer naar me toe. Hij hield een exemplaar van mijn eerste boek *Tru Confessions* omhoog.

'U bent toch schrijfster?'

Dat bevestigde ik.

'Ik heb een geweldig verhaal voor u,' zei hij.

'O ja?' Ik duwde de winkelwagen in de richting van mijn auto. 'Weet je wie jouw verhaal het beste kan vertellen?'

Hij schudde zijn hoofd.

'Jijzelf.'

Hij glimlachte en gaf me toen een stapel volgetypte vellen papier, bij elkaar gehouden met een touwtje. Het deed me denken aan een scriptie, maar het pak papier rook naar vochtige aarde. Ik nam het niet aan.

'Er zijn een heleboel goede uitgeverijen. Ik zou beginnen in New York. En je kunt het ook altijd via een agent proberen.' Ik was klaar met het inladen van mijn auto en gaf hem mijn vriendelijkste leuk-je-ontmoet-te-hebben-glimlach.

'U begrijpt het niet,' zei hij. 'Eigenlijk *ben* ik hier helemaal niet.'

Ik deed de achterbak dicht en keek hem aan. Blond haar, half uitgegroeid tot zijn natuurlijke bruine kleur, ernstige ogen, tenger postuur, vredige glimlach. Zeventien, achttien jaar oud. Hij kwam me vaag bekend voor.

'Dit moet gepubliceerd worden.' Hij duwde de stapel in mijn handen. 'Anders weet ik echt niet meer wat ik moet doen.'

Hij stond op één been en had het andere opgetrokken, met de knie naar buiten gericht. Het was een yogaoefening die ik altijd met mijn zoon deed. 'Boomhouding?' vroeg ik.

Hij knikte. 'Ik probeer in balans te blijven.'

'Wie niet?'

Hij zag er volkomen ongedwongen uit. 'Ik kom net terug van Walden Pond. Bent u daar wel eens geweest?'

'Vele malen.'

Hij haalde de pocket *Walden* uit zijn achterzak en begon te lezen. '"Filosoof zijn betekent niet alleen subtiele gedachten te hebben, zelfs niet een school te stichten, maar zoveel van wijsheid te houden dat men ernaar wil leven: een leven van eenvoud, onafhankelijkheid, grootmoedigheid en vertrouwen."' Hij keek me met glinsterende ogen aan. 'Dat is precies waar het om gaat, vindt u niet?'

Tja, wat moet je zeggen tegen een jongen die op één been Thoreau staat te citeren? Ik zei dat ik zijn manuscript zou lezen.

'Ik heb het opgebouwd als een scriptie,' zei hij, 'en getypt op een oude schrijfmachine, in het bos. Daarna heb ik wat dingen van internet gehaald en wat bijbelcitaten toegevoegd...' Hij glimlachte. 'Het heeft allemaal een functie,' zei hij. 'U ziet het vanzelf.'

Hij zette zijn voet stevig op de grond. 'Als u me niet wilt helpen, heb ik daar begrip voor.'

Ik vroeg hoe ik hem kon bereiken.

'Niet,' zei hij. 'Ik neem wel contact met u op.'

Onderweg naar huis nam ik de pagina's op mijn schoot snel door. Thuis op de oprit bleef ik doorlezen. Dat er in de achterbak een grote bak ijs stond te smelten, kon me even niet schelen.

Vandaar dat hij me bekend voorkwam. Ik reed snel terug naar de supermarkt om hem te zoeken, maar hij was al weg.

Toen hij me de volgende dag opbelde, had ik het hele manuscript gelezen.

'En?' vroeg hij. (Zijn verwachtingsvolle stem deed me sterk terugdenken aan mijn eigen ongeduld, terwijl ik zat te wachten tot iemand mijn eerste boek wilde publiceren.)

Ik zei dat ik met een ander project bezig was, maar dat zijn kant van het verhaal zo belangrijk was dat ik vond dat die naar buiten moest worden gebracht. Ik vroeg mijn redacteur Christy of zij belangstelling had voor het manuscript en toen ze het had gelezen, was ze meteen om.

Josh gaf me ook een schijfje met foto's die hij had gemaakt. Die hebben we door het hele boek heen geplaatst. Het idee van de epiloog kwam van mij, om het verhaal van een extra perspectief te voorzien.

Terwijl ik aan het boek zat te werken, vond ik Josh' verhaal soms inspirerend, maar ook wel eens angstaanjagend en betekenisloos. Tijdens mijn onderzoek kwam ik erachter dat sommige mensen van mening waren dat Josh een bipolaire stoornis had, of ADHD. Een van zijn leraren dacht zelfs dat Josh een acuut Messiascomplex had. Ik kan alleen maar zeggen dat de jongeman die ik in de loop van een maand een aantal keren heb ontmoet, mij volkomen normaal leek. Maar wie ben ik? Ik zit de hele dag achter een bureau verhalen te verzinnen.

Toen mijn redacteur me een paar maanden geleden de proeven stuurde, heb ik Josh voor het laatst gesproken. 'Besef je wel dat zodra dit boek is verschenen, iedereen weet dat je nog leeft?' zei ik. 'Dan begint alles misschien weer van voren af aan.'

Zijn stem klonk kalm en rationeel. 'Het is voor mij heel belangrijk om nu eerlijk te zijn,' zei hij. 'Ik wil alleen nog maar de waarheid schrijven.'

Ik heb later nog geprobeerd hem te bereiken, zodat ik hem een paar exemplaren van het boek kon geven, maar hij was verdwenen.

Alweer.

Dit is zijn verhaal.

* **The Gospel According to Larry** * in mijn eigen woorden

door Josh Swensen

* Deel een *

'Het is deze leerling die over dit alles getuigenis aflegt, en het ook heeft opgeschreven. Wij weten dat zijn getuigenis betrouwbaar is.'

Johannes 21:24

{*}

'Ik heb sinds Thoreau*[1] niet meer zo'n goed betoog gelezen,' zei Beth. 'Het is hard nodig dat iemand ons een keer wakker schudt, zodat we anders tegen de dingen aan gaan kijken.'

Mijn beste vriendin Beth probeerde me over te halen om samen met haar een Larry-studiegroep op te richten. Zijn website, www.thegospelaccordingtolarry.com, kreeg honderden hits per dag, vooral van tieners en studenten. Niemand wist wie Larry in het echt was, en de speculaties over zijn identiteit hadden weer allerlei aanverwante websites opgeleverd. Veel jongeren op school waren fan, maar Beth was echt bloedfanatiek.

'Josh, ik weet dat we allebei nog nooit lid van een club zijn geweest,' zei ze. 'Maar dat is nou precies de reden waarom we het nu wél moeten doen.'

Ik deed echt mijn best om geen woord van haar verhaal te missen, echt waar, maar er is iets met haar mond dat me volledig afleidt van de inhoud van haar woorden.*[2] Ze droeg vaak lipstick in een speciale kleur bruin, en ze accentueerde de randen met een potloodje dat ze altijd in haar tas had. Als ze praatte kreeg ik altijd het gevoel dat ik werd aangestaard door een lichtbruine hap chocolade-ijs die 'eet mij' smeekte. Ik ben al sinds de zesde klas verliefd op haar, maar daar had Beth geen idee van.

'Ik zal je helpen met de club,' zei ik. 'Maar alleen als wij tweeën alle bijeenkomsten mogen skippen en de mensen die wel komen, mogen uitlachen.'

*

[1] Henry David Thoreau is de auteur van *Walden* en *Burgerlijke Ongehoorzaamheid*. Deze boeken moesten wij afgelopen semester lezen voor Engels. Typisch New England: natuur is goed, materialisme is slecht. Beth ging er helemaal in mee.

[2] Ze heeft ontzettend de PEST aan dit soort opmerkingen; ze geven haar het idee dat ze als een object wordt gezien. Je kunt protesteren wat je wilt, Beth, maar het is de waarheid.

Ze kon er de humor niet van inzien. 'Dit is geen grap, hoor. Eindelijk is er iemand die dingen zegt die ik altijd al heb geroepen, en ik vind het belangrijk dat we hem helpen om zijn ideeën te verspreiden. Doe je nou mee of niet?'

'Natuurlijk doe ik mee. Ik kan dit toch niet alleen aan jou overlaten? Anders ben je straks ineens in de race om koningin van het eindgala of zoiets te worden, als ik even niet oplet.'

Ze gaf me een stomp tegen mijn arm, haar gebruikelijke manier om haar genegenheid te tonen. 'Zeg, kom je me vanmiddag helpen in de winkel? Er is ineens een enorme run op shovels.'

De doe-het-zelfzaak van Beths vader was voor ons al jaren een werkplek/boomhut/zomerkamp. Als we bouten en moeren moesten sorteren, verschillende soorten gloeilampen moesten tellen of de opdracht kregen om houtsnippers in kruiwagens te scheppen, voelde dat nooit echt als werk. De kleine winkel ging er prat op alles te verkopen wat een huiseigenaar maar nodig zou kunnen hebben. Voor een eenling als ik was het werk vooral een niet-bedreigende manier om deel uit te maken van de maatschappij, zonder al te veel sociale druk. Ik zei tegen Beth dat ik om vier uur naar haar toe zou komen.

Heel even fantaseerde ik dat we een stel waren, maar dan niet ingesneeuwd in de buurt van Boston, maar stoeiend in de Caribische branding, gebruind door de zon en verliefd. Mijn droom werd echter ruw verstoord toen ze me gedag zwaaide en naar de andere kant van de kantine liep, waar Todd de Geweldige stond, sportman en haar nieuwste obsessie. Kan iemand mij alsjeblieft uitleggen hoe het komt dat zelfs eigenzinnige jonge vrouwen die in een doe-het-zelfzaak werken en hoge scores halen voor hun toelatingstoets voor de universiteit, zo bezeten kunnen zijn van suffe sporters als hij? Beth, wat doe je me aan? Het leven was wreed en oneerlijk. Wat zou die Larry *daar* eigenlijk over te zeggen hebben?

De rest van deze schooldag ging voorbij zoals de film *Groundhog Day*, waarin Bill Murray wakker wordt en elke dag er exact hetzelfde uit blijkt te zien, tot in de kleinste, slaapverwekkende details. Zelfs een afwijkende gebeurtenis als een brandoefening of een invaller voor de klas vormde niet meer dan een gigantische geeuw in de verhaallijn. In de huiswerkklas bedacht ik ter afleiding een nieuw alfabet gebaseerd op het reukvermogen.*[3]

's Avonds thuis startte ik mijn laptop op en logde in. Ik checkte mijn e-mail en de waarde van de paar aandelen die mijn moeder me had nagelaten toen ze stierf. Daarna legde ik nog een laatste online bezoekje af: bij Larry. Ik vroeg me af of Beth op dit moment hetzelfde deed – een onbeantwoorde cyberdate.

Het Larry-logo verscheen op het scherm: een vredesteken met daarin, verdeeld over de vier vakken, een duif, een diskette, een aardbol en een stekker. Ik scrolde langs allerlei foto's omlaag naar de reacties die bezoekers die dag hadden geplaatst. Puljohn had een nieuwe link naar Adbusters gepost. Toejam hield een tirade over Larry's laatste preek en noemde die briljante flauwekul. Ik zat net midden in zijn betoog toen Peter een snelle klop op de deur gaf en zijn hoofd om de hoek stak.

'Zin in een restje pizza?'

Mijn stiefvader was de ultieme zakenman: zelfs in zijn badjas en slippers met uitgesleten hielen zou hij zijn reclamebureau nog van de rand van een faillissement naar ongeëvenaard succes kunnen leiden. Hij had alles wat een verkoper moest hebben: ferme handdruk, warme glimlach, luisterend oor. Zo was Peter echt, hoor, het was niet gespeeld, zoals bij veel van zijn collega's.

Hij keek over mijn schouder naar het scherm.

'Ik heb over die Larry gehoord,' zei hij. 'Een of andere vent die online onze cultuur belachelijk zit te maken. Anonieme lafaard.'

'Sommige mensen denken dat het een beroemde tv-dominee is die probeert de tienermarkt te bereiken. Maar het kan ook een verveelde huisvrouw uit een buitenwijk zijn die afleiding nodig heeft.'

Peter schudde zijn hoofd. 'Ik denk eerder een hacker die beroemd wil worden,' zei hij.

*

[3] Ik schreef ook nog een satirische scène voor Monthy Python, voor als ze ooit weer bij elkaar zouden komen, en maakte schetsen voor het klei-animatieproject waaraan ik begonnen was. Je moet toch een beetje bezig blijven, zeg ik altijd maar.

'Ik zal het als optie aan mijn lijstje toevoegen,' antwoordde ik.

'Ja, doe dat.' Hij gaf me een stuk pizza op een stuk keukenpapier. 'Morgen eten we bij Katherine. Goed?'

'Tuurlijk. Geweldig.' Katherine was de vriendin van mijn stiefvader, en ze was met een zwaar offensief bezig om de nieuwe mevrouw Swensen te worden. Ik durfde niet tegen Peter te zeggen dat ik haar net zo interessant vond als een zak rijst.

Peter deed de deur dicht en ging naar beneden naar zijn kantoor. Ik bladerde door het Larry-archief en printte de laatste preek, als voorbereiding op mijn afspraak met Beth morgen.

Preek 93

Trek je Gap-spijkerbroek aan, je Nike-T-shirt en je Reeboks, of misschien zelfs je Converse-schoenen, als je echt denkt dat je er daarmee op een Kurt Cobain-achtige manier cool en ironisch uitziet. Pak je Adidas-rugzak, spring op je Vespa en rijd naar school, en drink daar je Spa'tje Blauw en eet je PowerBar op. Schrijf een opstel op je IMac, trek je Ralph Lauren-jack aan, koop de nieuwste cd van Tower en kijk op je IPhone wie er heeft gebeld. Eet je Doritos op en drink je Coke. Kijk tv tot je er murw van wordt.

Noem mij één moment van de dag waarop we niet worden gebruikt en misbruikt door de grote reclamebureaus. Kunnen we misschien een paar millimeter speelruimte krijgen, of is dat te veel gevraagd?

Je hebt van die ambitieuze kinderen die hun hoofd – en dan bedoel ik de buitenkant, niet de binnenkant (hoewel de binnenkant zo mogelijk nog leger is dan de buitenkant) – aan lokale bedrijven verhuren door reclameteksten in hun haar te laten scheren, zodat al hun vrienden het kunnen zien. En je kunt erop wachten dat de grote bedrijven binnenkort een manier vinden om hun spullen aan je te verkopen terwijl je ligt te slapen. Misschien in de vorm van een vitaminepil die zicht- en hoorbare enzymen verspreidt, die als confetti door je dromen dwarrelen –

DE NIEUWSTE DVD'S NU BIJ BLOCKBUSTER ... NACHO'S NU MET NÓG MEER KAAS BIJ CHILI'S ... TROUWENS, JE SNURKT...

Ben ik nou echt de enige die er de ironie van inziet dat we tijdens de literatuurles 1984 behandelen en discussiëren over hoe Big Brother ons in de gaten houdt, alsof het om de verre toekomst gaat? Alsof het een science fiction-nachtmerrie is die toch nooit werkelijkheid zal worden? Hal-lo! Als de grote bedrijven echt invloed op ons leven willen uitoefenen, dan moeten ze onze scholen gaan sponsoren met audiovisuele apparatuur, op voorwaarde dat wij in ruil daarvoor tijdens de les naar hun reclames kijken.

O, wacht, dat gebeurt al.

Ach laat ook maar.

Gelukkig stond Peter nu niet over mijn schouder mee te lezen. Tegen twee uur 's nachts had ik veertien bladzijden met aantekeningen voor de nieuwe Larry-club.*[4] Als ik bij elkaar zou optellen hoeveel ik de afgelopen jaren voor Beth heb gedaan, dan is daar denk ik meer tijd en moeite in gaan zitten dan in het ontwikkelen van de nieuwste spaceshuttle.

Maar het was het dubbel en dwars waard.

*

[4] Ik zou Beth zo lang mogelijk helpen, op voorwaarde dat ik de club mocht verlaten zodra die echt raar zou worden. Als ik te veel mensen tegelijk om me heen heb, krijg ik meestal de neiging om de heuvels in te trekken.

Het was helemaal niets voor mij om bij een club of zoiets te gaan, integendeel zelfs. Het is net als met dat programma *Survivor*. Ik las in de krant dat er gisteravond vijftig miljoen mensen naar hebben gekeken – ik zou echt geen betere reden weten om ergens *niet* naar te kijken. Ik weet niet hoe het met jou zit, maar als vijftig miljoen mensen hetzelfde doen, dan wil ik dus juist iets anders doen.

De vriendin van mijn stiefvader vindt me eigenzinnig, en op school vinden de meesten me waarschijnlijk gewoon raar. Maar ik ben eraan gewend. Het is altijd al zo geweest. Ik bedoel, als je op je achtste met een papieren piramide op je hoofd gaat zitten om te zien of je je door de energiestralen beter kunt concentreren, kijken sommigen je aan alsof je niet goed bij je hoofd bent. Het goede nieuws was dat het me niet kon schelen. Ik ben nog nooit huilend thuisgekomen en heb nooit zitten tobben: O jee, wat zouden de andere kinderen hiervan vinden? Ik had het niet eens in de gaten. Zalige onwetendheid is misschien toch zo gek nog niet.*[5]

Toen mijn moeder nog leefde, zette ze het schoolhoofd altijd onder druk dat hij me meer moest aanbieden, zoals extra begeleiding, uitdagender taken. 'Hij is zeven jaar, maar heeft een wiskundeniveau van een dertienjarige. Je verspilt zijn tijd met twee-plus-twee-sommen!' schreeuwde ze dan. 'Anders ga ik hem thuis wel lesgeven, ik zweer het!'

Ja hoor, mam. Tuurlijk. Misschien na een handje Prozac-tabletten en een lobotomie. Mijn moeder, God hebbe haar ziel, was onvermoeibaar als het om mijn welzijn ging, maar ze kon net zo slecht stilzitten als ik. Ik zie al voor me hoe ze me les zou hebben gegeven, en hoe wij tweeën dan al woorden spellend de heuvel achter de begraafplaats af zouden rollen. Ze was nogal excentriek: harde stem, harde muziek, schreeuwerige kleding. Zoveel lol gehad. Tot de eierstokkanker, daarna werd het een stuk minder grappig.

*

[5] Niet te veel, natuurlijk, maar een beetje.

Tijdens mijn leven met haar lag het prikkelniveau vrijwel altijd hoog, en dat heeft me altijd enorm gestimuleerd. Kruipen of lopen deed ik niet: op een dag ging ik gewoon staan en rende weg. Het eerste woordje dat ik zei, of eigenlijk schreeuwde, vanuit mijn autostoeltje toen we een keer de snelweg onveilig maakten, was '*HARDER*'! Toen ik eenmaal ontdekte wat getallen waren, was ik niet meer te houden. Er is een videofilmpje van mij, waarschijnlijk van toen ik een jaar of twee was. Ik zit op een van onze wiebelige keukenstoelen voor de koelkast, en maak met gekleurde magneetcijfers wiskundige vergelijkingen.*[6] Mijn moeder kletst met een vriendin en zit mij intussen te filmen. Ze zegt: 'De meeste baby's denken niet aan wiskunde als ze het over wortels hebben.'

Maar het waren niet alleen de cijfers, ik was in alle opzichten leergierig. Ik had van die fases waarin ik de ene keer informatie over de Burgeroorlog verslond, en dan weer alles wilde weten over het Tibetaanse boeddhisme, alpinisme of het aanleggen van een winterharde tuin.*[7] De gebruikelijke kinderactiviteiten als honkbal en voetbal interesseerden me niet. Ik herinner me nog goed de slaande ruzies met mijn moeder, als ze onze deur openhield en mij dwong om buiten te gaan spelen met de kinderen uit de buurt. 'Als je nou niet naar buiten gaat en met Karl en Bryan gaat spelen, dan mag je vanavond na het eten ook niet aan je biologiehuiswerk!'

'Hé, waag het niet me mijn biologie af te pakken!'

'Josh, ga in godsnaam naar buiten en haal een frisse neus, want anders breng ik die wiskundeboeken terug naar de bibliotheek!'

Heftig tegenstribbelend en schreeuwend werd ik dan de deur uit geschopt. Toen ik ouder werd, zat ik nog altijd liever met mijn laptop in mijn hangmat dan dat ik naar de sportdag op school ging.

*

[6] Ik zweer je dat dit niet gelogen is: twee jaar oud.

[7] Ik weet niet of je het weet, maar je kunt veel vrienden kwijtraken als je alleen nog maar over veenmos kunt praten.

Beth noemde me altijd 'de Tovenaar', alsof ik een soort overjarige Harry Potter was. Zij vond dat ik maar wat aan zat te klooien en mijn tijd zat te verdoen, als ik bijvoorbeeld een woord als *napiform* op verschillende woordenboeksites opzocht (dat betekent knolvormig, maar dat wist je al).

'Jij bent géén doorsnee-zeventienjarige,' zei ze een keer tegen me. 'Maar ja, je was ook geen doorsnee-vijftien- of -twaalfjarige.'

Daar moest ik haar gelijk in geven.

Eigenlijk is het heel simpel. Ik heb mijn hele leven maar één ding gewild, en dat is een bijdrage leveren, zorgen dat de wereld een stukje beter wordt. Dit klinkt natuurlijk ongelofelijk afgezaagd, maar de beschaving naar een hoger plan brengen is altijd mijn hoogste prioriteit geweest. Niet met meer technologie, en ook niet met meer geld, maar met meer ideeën, meer diepgang. Toen we vorig jaar Darwin behandelden, spatten zijn ideeën van de bladzijden. Iedereen ontwikkelt zich en gaat vooruit, bewust of onbewust. Waarschijnlijk had ik dat al in mijn achterhoofd toen ik die plastic cijfers op de koelkast heen en weer schoof, en het is ook wat me nu bezighoudt, terwijl ik dit zit te typen.

Als Larry een manier was om de diepere betekenis van het leven te achterhalen, dan zou ik van de partij zijn.

{*}

Beth maakte een lijst van alle leerlingen in onze klas en schreef erbij wie zij in een vorig leven waren geweest. We schoven de lijst tussen ons tweeën heen en weer en vulden de lege plekken in: Jack Furtado, een cellist uit de Victoriaanse tijd; Laura Newman, een Russische kosmonaute. Tot de bel ging.

Toen we in de gang voor haar kluisje stonden, liet ik Beth delen in mijn enthousiasme. 'Je hebt gelijk! Alles wat Larry op zijn website heeft staan, heeft een link met mijn eigen leven.'

'Ik zei het toch?' Ik had haar geen groter plezier kunnen doen.

'Net toen ik eraan dacht dat de vriendin van mijn stiefvader zo'n onverzadigbare winkelmaniak is, las ik een stuk van Larry over shopaholics. En toen ik mijn moeder miste, had hij het over gehechtheid. Het was gewoon eng!' Ik wilde het er niet té dik bovenop leggen.

Beths lippen glansden als hete mokkakoffie. 'Hij brengt precies onder woorden wat wij denken.' Ze corrigeerde zichzelf onmiddellijk. 'Hij *of* zij.'

'Maar hoe zit dat met die foto's?' vroeg ik. 'Is het de bedoeling dat wij Larry's identiteit proberen te raden?'

'Larry bezit minder dan tachtig dingen. Hij zet foto's van zijn spullen op zijn website, steeds een paar tegelijk, en daagt de mensen uit om te raden wie hij is. Op dit moment heeft niemand nog enig idee. Want wat kun je nu opmaken uit een pen en een haarborstel?'

'Misschien heb je geluk, en is zijn volgende hint een foto van zijn –'

'Of haar –'

'Rijbewijs.'

Beth glimlachte. 'Ik wed dat hij die foto voor het laatst bewaart.'

Ik vroeg of ze vanmiddag bij me langs wilde komen om mijn ideeën voor de club te bespreken.

Ze trok een moeilijk gezicht. 'Ik kan niet. Ik moet nog leren voor dat wiskundeproefwerk.'

Beth was van alles: adembenemend mooi, slim, vastberaden. Maar ze was een erg slechte leugenaar. Ik bleef haar aanstaren tot ze zich gewonnen gaf.

'Oké, ik heb mijn vader beloofd om hem te helpen met de inventarislijst.'

Ik bleef haar aanstaren.

'Verdomme, Josh. Ik heb Todd beloofd dat ik hem vanavond zou helpen zijn souterrain schoon te maken. Zo goed?'

'Zou je me alsjeblieft kunnen uitleggen hoe het kan dat iemand die zoveel waarde hecht aan persoonlijke groei als jij, het souterrain van de grootste idioot van de klas gaat stofzuigen, alleen maar omdat ze denkt dat ze verliefd op hem is?'

'Ik wil er geen woord over horen,' beet ze terug. 'Ik ken niemand die inconsequenter is dan jij. Je bent een computernerd die dagen door het bos kan dwalen. Je haat het om dingen te kopen, en toch ga je altijd naar Bloomingdale's!'

'Dat is anders. Maar laat maar, je punt is duidelijk.'

Maar ze begon net op stoom te komen. 'Luister, jij bent mijn beste vriend. Sinds de lagere school helpen we elkaar al uit de problemen. Maar niet iedereen heeft zin om door het leven te gaan als een kluizenaar die leeft in een wereld van ideeën.' Bij het woord *ideeën* maakte ze aanhalingstekens met haar vingers. Dat was een van de weinige trekjes van Beth waar ik me gruwelijk aan kon ergeren.

Toen kwam eindelijk de waarheid over Todd naar buiten. 'Hij is de enige coole jongen die me ooit aardig heeft gevonden. Ik weet ook wel dat hij lomp uit de hoek kan komen, maar als je het niet erg vindt, wil ik er nog even van genieten dat zijn populariteit op mij afstraalt.'

Om de een of andere reden nam mijn ergernis alleen maar toe door de naakte eerlijkheid van haar pleidooi. 'Ik ga ervandoor.' Bij het woord *ervandoor* maakte ik ook van die aanhalingstekentjes in de lucht, en ik liep naar de literatuurles. Ik voelde dat ze achter me liep, nog voor ze me vastpakte en me omdraaide om me aan te kunnen kijken.

'Ik haat het als we ruzie hebben,' zei ze. 'Ik haat het, ik haat het, ik haat het.'

We bleven een tijdje staan zonder iets te zeggen.

'Weet je, Todd moet die kamer voor het weekend hebben schoongemaakt, anders mag hij niet spelen. Ik probeer gewoon een beetje gemeenschapszin te tonen, voor de verandering. En hij weet dat ik heel goed ben in organiseren...'

Ik wou haar vertellen dat ze die vaardigheden beter voor iets anders kon inzetten dan voor het in chronologische volgorde zetten van rugby- en basketbaltrofeeën, maar ik hield mijn kaken op elkaar. In plaats daarvan zei ik dat ik nog van alles te doen had, duizenden dingen, en het veel te druk had voor deze onbenullige woordenwisseling. Ik slenterde weg, zo nonchalant als mogelijk was voor iemand die in diepe wanhoop verkeerde. Mijn zorgen over Beth hadden maar één oorzaak: het feit dat ik nog nooit was voorgekomen op haar almaar veranderende lijst van jongens op wie ze verliefd was. Sam, Daniel, Andy, Speedy McDermott, Jack, en nu Todd. Maar nooit eens een keer Josh. Als ze moest kiezen: een fantastische vakantie van twee weken in Europa samen met mij, of Todd helpen met het schoonmaken van zijn souterrain, dan weet ik al wat Beths trieste keuze zou zijn.

De volgende halte op deze topdag: een mentorgesprek met mevrouw Phillips. Ik probeerde mezelf op te peppen door staand een paar push-ups te doen tegen mijn kluisje.

Voor ik goed en wel was gaan zitten, kwam mevrouw Phillips al ter zake. 'Heb je al nagedacht over een studierichting, Josh?'

Mevrouw Phillips had de vreselijke gewoonte om met haar middelvinger haar bril omhoog te schuiven. En dat deed ze zo vaak, dat iedereen op school haar *fuck-you* Phillips noemde.

Ik zat met de rits van mijn schooltas te spelen en realiseerde me ineens dat ik er met mijn hoofd niet helemaal bij was (Larry, Preek 22). Ik keek haar aan. 'Ik zat te denken aan filosofie. U weet wel, de zin van het leven, zoiets.'

'Voor iemand die van lezen houdt en graag nadenkt, zoals jij, is dat een goede keus,' zei ze. 'Maar je moet wel beseffen dat de vooruitzichten op een baan daarmee niet zo groot zijn.'

'Ik denk dat er na de Crisis, na de Apocalyps, een enorme vraag zal zijn naar mensen met diepgang en visie.'

Ze trok haar neus op, waardoor haar bril omlaag gleed, en ze maakte weer een obsceen gebaar naar me. 'Josh, ik betwijfel of het zinvol is om je carrière te baseren op een apocalyps. Als die nu eens uitblijft?'

'Dan ben ik de lul, denk ik.' Ik wierp haar een stralende glimlach toe, in de hoop dat ze niets over mijn taalgebruik zou zeggen.

'Ik zal wel te materialistisch ingesteld zijn,' zei ze. 'Filosofie studeren aan de universiteit van Princeton is een prima en eervolle keuze.'

Ik vroeg me af of ik mevrouw Phillips' openbaring te danken had aan mijn verkooppraatje, of aan het feit dat het tien voor elf was en ze zat te smachten naar een sigaret voordat haar volgende afspraak begon. Ik besloot haar het voordeel van de nicotinetwijfel te geven, pakte mijn spullen en liep naar de deur.

Ik had een zwak voor mevrouw Phillips sinds vorig jaar, toen ik op haar kantoor achter haar e-mailadres was gekomen en via internet met haar was gaan chatten, waarbij ik me voordeed als een veertig jaar oude vrijgezel uit Portland.*[8] Na maanden van stil online geflirt heb ik haar uitgenodigd voor een ontmoeting in de koffiecorner van een boekhandel, waar ik haar observeerde vanuit de kookboekenafdeling. Ze heeft meer dan twee uur en drie cappuccino's lang zitten wachten voor ze weer naar huis ging. (*Daar* voelde ik me wel schuldig over. Mevrouw Phillips was normaal gesproken spijkerhard; ik had nooit gedacht dat ze zo diep kon zinken.)

Ik besloot de rest van de dag te spijbelen. Het terugkerende beeld van Beth, die verkleed als Sneeuwwitje zingend het souterrain van Todd de Geweldige stond te vegen, was meer dan ik kon verdragen. Ik pakte mijn camera uit mijn kluisje en besloot even bij mijn moeder langs te gaan.

Als mijn stiefvader mijn moeder opzocht, dan ging hij altijd naar de begraafplaats. Maar ik – die haar veel beter kende dan hij – ging altijd naar een plek die haar geest veel beter vasthield dan een weiland vol granieten grafstenen.

De cosmetica-afdeling van Bloomingdale's.

*

[8] Ik weet wat iedereen denkt, maar ik zweer je dat ik haar bureau *niet* hebt doorzocht.

Ik ploeterde door de smeltende sneeuw en nam de bus naar Chestnut Hill. Sinds we in de buurt van Boston waren komen wonen, had mijn moeder me hier eens per maand mee naartoe gesleurd.

De parfumgeuren overspoelden me als een golf herinneringen. Ik plofte neer in de hoge stoel bij de Chanel-balie. Ik durf wel te stellen dat ik daar de enige was die in lotushouding zat.

'Hallo, Joshy. Alles goed?' Marlene de Schoonheidsdokter werkte hier al meer dan twintig jaar. Ze was mijn moeders favoriete verkoopster, met haar glanzende helm van zwartgeverfd haar en haar donkere wenkbrauwen, die ze met potlood aanbracht sinds ze jaren geleden de echte had verloren. 'Het is rustig, dus je kunt hier wel even zitten. Als ik een klant krijg, weet je wat de spelregels zijn.'

Ik salueerde en leunde toen achterover om bij mijn moeder te zijn.

Vanaf het moment dat mijn moeder ging studeren, heeft ze haar rijke ouders teleurgesteld in hun verwachtingen. In plaats van op Wall Street in hun voetsporen te treden, trok ze liftend door het land, zette zich onvermoeibaar in voor de burgerrechten en koos een aantal foute mannen uit. Maar van één aspect van haar goede komaf had ze zich nooit kunnen losmaken, en dat was haar voorliefde voor dure vochtinbrengende crèmes. Ze was altijd uren bezig om eruit te zien alsof ze helemaal geen make-up droeg. Als een bezeten wetenschapper experimenteerde ze met potloden en poeders, maar ik vond dat ze er altijd hetzelfde uitzag. Ik weet nog dat ik als peuter vanaf deze stoel toekeek hoe Marlene mijn moeder de ene na de andere lipstick voorhield. Mijn moeder vroeg dan aan mij welke kleur ik het mooist vond, dacht even na over mijn antwoord en nam dan altijd de lipstick die ze zelf wilde.

Ik wachtte even tot Marlene aan de andere kant van de balie iemand ging bellen, en begon toen te praten.

'Oké, mam, even kort: Beth is Todds souterrain aan het schoonmaken, Peter sleept me straks mee naar de zoveelste lasagnemaaltijd bij Katherine thuis, en ik ben nog geen stap dichter bij het verbeteren van de wereld.'

Een vrouw met een hoed in luipaardprint wierp me in het voorbijgaan een blik toe.

'Ik heb gewoon het gevoel dat mijn leven nog moet beginnen, dat ik al zeventien jaar heb verspild. En dan? Vier jaar Princeton? Wordt onze beschaving daar een haar beter van?'

'Wil je ons intensieve reinigingsmasker eens proberen?' vroeg Marlene.

Ik knikte. Zodra Marlenes baas in de buurt was, deed ik altijd alsof ik een klant was.

'Volgens mij maak je het jezelf veel te moeilijk. Maak je nou maar geen zorgen over onze beschaving. Zorg liever dat je niet in de problemen komt, en zoek een paar goede vrienden,' zei Marlene.

Ze bracht het masker met kleine cirkelbewegingen aan op mijn gezicht.

'Ik heb goede vrienden,' antwoordde ik. 'Nou ja, één goede vriendin, eigenlijk.'

'Eén goede vriend of vriendin is prima, meer heb je er niet nodig.' Marlene keek toe hoe haar baas de roltrap opging, en veegde het masker er toen met een tissue weer af.

'Hier.' Ze pakte wat kleine flesjes met gratis proefmonsters, stopte die in een klein draagtasje en gaf dat aan mij. 'Je bent hier altijd welkom, dat weet je hè?'

Ik zag dat Marlene naar een potentiële klant keek, die boven de nagellak hing. Ik salueerde weer en ging ervandoor.

Op de schoenenafdeling had ik vier paar sneakers, drie paar instappers en vijf paar laarzen gepast voor de verkoper me alleen liet. Op weg naar buiten bleef ik nog even bij de cosmetica hangen.

'Mam?' vroeg ik.

Een vrouw van een jaar of vijftig met netkousen aan draaide zich om en ging toen weer verder met waar ze mee bezig was.

'Mam, je helpt me wel, hè? Met mijn plannen om de wereld te verbeteren?'

Toen deed ik wat ik altijd deed als ik een antwoord van mijn moeder nodig had. Ik luisterde naar het eerste woord dat iemand zei. Een zakenman die mobiel stond te bellen gaf me haar antwoord. 'Ja!' zei hij in zijn telefoon. 'Natuurlijk doe ik dat.'

Ik grijnsde van oor tot oor.

Toen ik 'bedankt, mam' zei, keek de vrouw met de netkousen weer om. Ik gaf een tikje tegen mijn wollen muts en liep de winkel uit.

LARRY VOORWERP nr. 8

{*}

Katherine, de vriendin van Peter, had een Humpty Dumpty-manie. Ze verzamelde alles waar de stumper maar op stond afgebeeld: peper- en zoutvaatjes, koektrommels, puzzels, brievenbussen, lichtschakelaars, vazen, boekensteunen – nou ja, je hebt het idee wel te pakken, denk ik. Afgelopen kerst heeft ze Peter een Humpty Dumpty-stropdas gegeven, met daarop een stuntelige Humpty die naar beneden tuimelt.*[9]

Katherine was iets van twintig kilo te zwaar, en lachte altijd alsof ze zó op de reclameposter had gekund voor Dik, Dom en Gelukkig-spijkerbroeken.*[10] Bij alles wat we zeiden lachte ze nerveus, en ze deed zoveel moeite om aardig te worden gevonden dat ik mezelf er heel soms op betrapte dat ik hoopte dat ze daar een keer in zou slagen.

'Ah, lasagne. Mijn lievelingsgerecht.' Peter stortte zich op de ovenschaal alsof hij in geen maanden iets had gegeten.*[11]

'Lekker,' zei ik. Ik had haar al vijftig keer verteld dat ik geen vlees eet, maar om de een of andere reden vond ze deze informatie niet belangrijk genoeg om op haar radarscherm te registreren. Ik laadde mijn bord vol met knoflookbrood en tomatensaus.

Ik vraag me af of Peter nou echt geïnteresseerd was in de absurde anekdote waarmee Katherine de stilte vulde – iets over haar werk met verwisselde dossiers en haar gestoorde baas – of dat hij gewoon deed alsof ze een klant was. Vraag me niet hoe ze het voor elkaar kreeg, maar het gesprek eindigde waar het altijd ein-

*

[9] Ik heb toen een skateboard van haar gekregen waar *Humpty* op stond, in lichtgevende bliksemletters. Van dat ding werd ik zo bang dat ik het in de garage onder een stapel oude kranten heb verstopt. Later heb ik het aan mijn buurjongen gegeven.

[10] Zei ik dat echt? Foei toch. Misschien moet ik Larry's preek over tolerantie nog maar eens nalezen.

[11] Hij en ik koken beter dan Katherine. Bovendien maakte ze elke keer als we kwamen eten lasagne voor ons.

digde: op eBay, en alle énige Humpty-koopjes waar Katherine op had geboden. Ik ging ervandoor zodra ik de kans kreeg, met het excuus dat ik nog heel veel huiswerk had.

Toen ik de koude avondlucht in liep, sloeg ik met mijn hand tegen de zijkant van mijn hoofd om Katherine's spraakwaterval kwijt te raken. Bij Porter Street was ik bijna zover dat ik mijn eigen gedachten weer kon horen.

Ik was echt niet van plan om bij Beth langs te gaan, maar mijn voeten brachten me er vanzelf naartoe. Net op tijd om haar de oprit op te zien rennen.

'Ik dacht dat je vanavond Todds medailleverzameling ging afstoffen.'

'Hou er nou eens over op, Josh.'

Ik besloot het onderwerp te laten rusten tot ze zin had om erover te praten. We zaten op het trapje voor haar huis naar de flikkerende kerstboomverlichting te kijken die de Petersons maanden geleden al hadden moeten opbergen.

'Ik geef het niet graag toe, maar misschien heb je toch gelijk,' begon ze. 'Het is wel duidelijk dat Todd mij niet echt waardeert.'

'Ja, dikke dûh.'

Ze rilde. 'Ik wil voor geen goud eindigen als die vrouwen die in talkshows over hun leven zitten te klagen.'

'Dan zorg ik wel dat het publiek zich ermee gaat bemoeien, dat is goed voor de kijkcijfers,' vulde ik haar aan.

'Met Todd zou ik nooit een normaal gesprek kunnen voeren, zoals nu met jou,' zei ze. 'Waarom, dat weet ik ook niet.'

Eens even denken... omdat hij een randdebiel is, omdat hij denkt dat het onthouden van sportuitslagen belangrijker is dan natuurkunde of aardig zijn? Ik hield mijn mond en bleef voor me uit staren naar de lichtjes bij de Petersons.

'Wacht, ik zou het bijna vergeten.' Ik haalde het tasje van Bloomingdale's uit mijn rugzak.

'Heb je je moeder vandaag weer opgezocht? Ik vroeg me al af waar je was tijdens het vijfde uur.'

Met haar lange vingers haalde ze de artikelen uit het vloeipapier. 'Ooh, deze is lekker.' Ze smeerde wat vochtinbrengende crème op haar hand.

Er brak een strijd uit in mijn hoofd – doe *alsjeblieft* die lipstick op, doe *niet* die lipstick op – want aan de ene kant zocht ik een excuus om naar haar lippen te kunnen staren, maar aan de andere kant wilde ik vannacht goed slapen.

Natuurlijk moest ze me kwellen. Daar ging de lipstick.

'Is hij niet te donker?' vroeg ze.

Ik kon haar adem zowel zien als voelen. Haar lippen leken net rijpe pruimen aan een tak. Ik haalde mijn schouders op en zei dat het er goed uitzag.

'Ik weet niet zo goed wat ik hiermee aanmoet,' zei ze. 'Larry's laatste preek blijft maar door mijn hoofd spoken, over dat we geld verspillen aan spullen die we niet nodig hebben.'

'Nou, die proefmonsters waren in elk geval gratis, misschien helpt dat.'

'Ja, eigenlijk wel,' zei ze. 'Zullen we even inloggen?'

Ik volgde haar naar haar souterrain, dat bezaaid was met kleding en cd's.

'Waarom vraag je geen wederdienst aan Todd? Bij hem thuis kan het nooit erger zijn geweest dan hier.'

'Ja, je hebt gelijk. Hij is al onderweg.'

Gelukkig was het volstrekt onwaarschijnlijk dat Todd iets zou presteren wat op fysieke arbeid leek, dus had ik Beth een paar uur voor mezelf.

Ze klikte op haar Favorieten en zocht Larry's preek op. Terwijl zij de laatste aflevering las, pakte ik haar Mystic 8 Ball en stelde een vraag: zou Beth enthousiast zijn over Larry's laatste preek? Zou ze erdoor geraakt worden? Ik schudde de bal en draaide hem om. Het antwoord was: *Mijn bronnen zeggen Nee*. Ik beschik misschien niet over magische krachten, maar ik wed dat je er deze keer naast zit, meneer 8 Ball.

'Josh, dit *moet* je echt lezen.'

Ik legde de niet-zo-mystieke 8 Ball weg en ging naast haar bij het bureau staan.

'Ik zei het toch? Het lijkt wel of het altijd over mijzelf gaat, maakt niet uit over welk onderwerp hij schrijft. Lees maar.'

Ik pakte er een stoel bij en las de laatste preek van Larry.

Preek 97

Ik heb al vaak geschreven over alle onzin waarmee we ons leven vullen: bezittingen die ons belemmeren en die ons alleen maar afleiden van wie we proberen te zijn. Maar hoe zit het met de mensen met wie wij ons omringen? Zijn het mensen die onze passie aanwakkeren? Die ons ertoe aanzetten meer greep op onszelf te krijgen? Heb je betekenisvolle relaties, of zijn het slechts oppervlakkige contacten? Zou je niet wat dieper willen graven, een ander niveau willen bereiken? Of zijn we met zijn allen alleen op zoek naar gemak, en kiezen we de comfortabele weg? De mensen die we uitkiezen om ons leven mee te delen, zijn onze medereizigers – word jij omringd door medebemanningsleden of door piraten die jouw tijd kapen?

'Het is gewoon griezelig,' zei ze. 'Zó Todd en mij.'

'Ja, wedden dat Larry aan jullie tweeën dacht toen hij dit schreef?' antwoordde ik.

'Ik meen het, hoor. En trouwens, er is niets meer tussen ons. Het is voorbij.'

Ik haalde instemmend mijn schouders op, maar mijn gedachten stuiterden heen en weer tussen verwachting en fantasie.

'En trouwens, hij eet vlees! Ik ruik het aan zijn adem. Het is echt walgelijk.' Ze sprong op en zette vastberaden haar handen in haar zij. 'Tijd voor belangrijker zaken. Laten we aan de slag gaan met de Larry-club.'

'Hé, *ik* heb niet de hele avond sportkleding staan strijken.' Ik pakte het mapje met de aantekeningen die ik de avond daarvoor had gemaakt.

We gingen aan de slag, tot haar vader me vriendelijk verzocht om naar huis te gaan.*[12]

Ze gaf me haar gebruikelijke jij-bent-mijn-beste-vriend-dus-dan-

*

[12] Als je boven aan de trap staan kuchen vriendelijk kunt noemen.

mag-je-best-close-zijn-knuffel. En ik gaf haar op mijn beurt een ik-vind-het-prima-om-gewoon-vrienden-te-zijn-omhelzing en ging naar huis.

Toen ik door Kimball Street liep, dacht ik aan alle dingen die ik Beth vanavond nog had willen vertellen. Over de links die we konden maken naar Larry's homepage. En dat het over een paar weken al lente zou worden. Over mijn gesprek van vanmorgen met *fuck-you* Phillips.

En o ja, Beth, nog één dingetje.

Had ik je al verteld dat ik Larry ben?

(Details zijn niet mijn sterkste kant.)*[13]

*

[13] Klopt, ik heb je een beetje aan het lijntje gehouden – jammer dan. Ik moest eerst zeker weten dat je aan mijn kant stond.

* Deel twee *

‘Wie zijn leven probeert te behouden
zal het verliezen,
maar wie zijn leven verliest omwille
van mij, die zal het behouden.’

Matteüs 10:39

{*}

Net als veel van mijn andere projecten is de website ontstaan uit verveling, als een manier om uit niets iets interessants te creëren. Bovendien zaten we in die eindeloze vakantieperiode die begint met Halloween, rond Thanksgiving op stoom komt, en met kerst en oud en nieuw een wervelende climax bereikt. De commercie had vorig jaar weer alle records gebroken, en ik voelde een wanhopige behoefte om in opstand te komen. Het bouwen van de site was bovendien een vorm van afleiding gedurende deze zware, heftige periode, waarin het gemis van mijn moeder altijd extra pijnlijk was.*[14]

Ik ontwierp de lay-out en gebruikte mijn mobieltje als modem om de website online te zetten, zodat hij niet kon worden getraceerd.*[15] Natuurlijk had ik ook nog iets met zo'n hé-kijk-mij-nou-webcam kunnen doen, maar zelfs online was mijn privacy me heilig.

Dit speelde zich allemaal af in een periode waarin ik bezig was met het ontwerpen van een serie bijbelse actiepoppen – puur voor eigen vermaak, natuurlijk.*[16] Dus noemde ik de website *The Gospel According to Larry*, want Larry was de meest on-bijbelse naam die ik kon bedenken.

In het begin was het gewoon grappig – slechts twee of drie hits per dag, van eenzame internetnomaden die niets beters te doen hadden dan de preken van de een of andere spirituele pelgrim te lezen. Ik kreeg vrijwel alleen positieve commentaren, en sommige discussies waren zo stimulerend dat ik steeds later naar bed ging om meer tijd aan mijn preken te kunnen besteden. Iemand had zelfs een artikel over Larry *gepost* dat in een lokale krant had ge-

*

[14] Niet dat het veel effect had.

[15] Ik had de telefoon gekocht via een advertentie achter in een tijdschrift en had als adres een postbusnummer opgegeven.

[16] Mijn favoriete poppen waren Simson en Delila. Zij had een schaar, en bij hem kon je het haar verwijderen.

staan. Neem maar van mij aan dat het lezen van dat artikel honderd keer bevredigender was dan de brief met de bevestiging dat ik op Princeton was aangenomen.

Mensen begonnen naar Larry te mailen en te vragen wie hij of zij was. Op een dag kreeg ik het idee om mijn bezittingen*[17] te gaan fotograferen, ze in te scannen en op de website te plaatsen. Zou het mogelijk zijn om een anoniem iemand, WAAR OOK TER WERELD, te traceren aan de hand van zijn of haar spullen? Die vraag intrigeerde me. Ik sloot een weddenschap met mezelf af dat ik ieder voorwerp zo op de foto zou kunnen zetten dat niemand mij zou kunnen opsporen.

Het was zo'n situatie waarvoor geen oplossing bestaat. Ik was blij dat anderen het interessant vonden wat ik deed, maar omdat Larry's identiteit onbekend was, kreeg ik geen erkenning voor het fenomeen en kon ik het niet op mijn cv zetten, of, belangrijker nog, erover opscheppen tegen iemand als Beth. Het had misschien wel gekund, maar het is toch tamelijk ranzig als een filosoof om aandacht vraagt voor persoonlijk voordeel.*[18]

Dus kwam ik in de ongemakkelijke positie terecht dat ik mijn eigen fanclub oprichtte. Het was wel komisch, bijna Monty Python waardig – nou ja, het had in elk geval iets weg van een slapstick. De ironie en de absolute gekte van de situatie inspireerden me, en ik was een uur lang bezig om de foto's van mijn bezittingen door te kijken en te bepalen welke ik de volgende dag op de site zou zetten.

*

[17] Mijn spullen verdienen een eigen hoofdstuk, dat komt hierna.

[18] Kijk maar naar die tv-dominees, als je me niet gelooft.

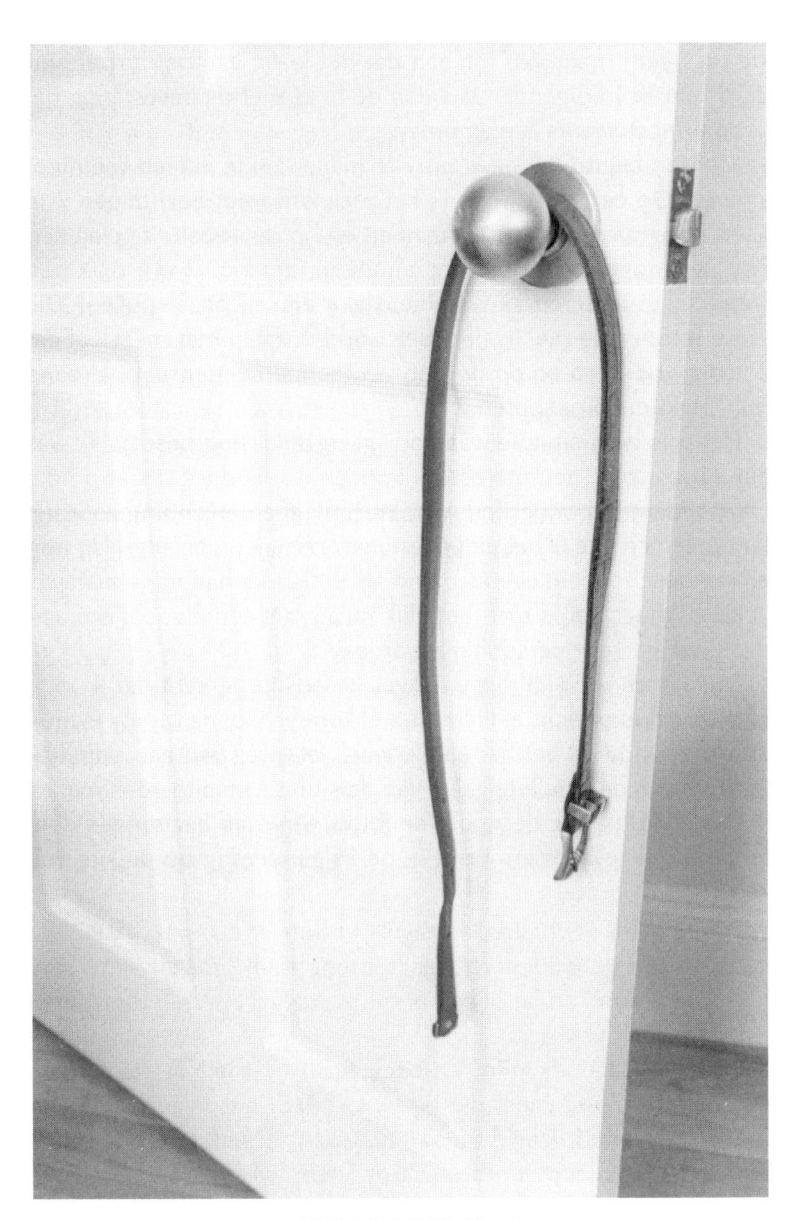

LARRY VOORWERP nr. 11

{*}

In de vijf jaar waarin ik met een reclametopman onder één dak had gewoond, had ik een hoop geleerd: bijvoorbeeld dat een bedrijf alleen succes kan hebben als het een nichemarkt heeft. Alleen een website lanceren was niet genoeg. Ik moest een boodschap hebben, een product, of wat dan ook.

Van een product kon geen sprake zijn, want ik ben de meest onmaterialistische persoon die ik ken.

Ik heb namelijk maar vijfenzeventig bezittingen. Al mijn kleding, ondergoed, schoolartikelen, vrijetijdsspullen, software en onze huissleutel meegerekend. Het is mijn geheimpje; zelfs Beth weet er niets van.

De meeste mensen hebben waarschijnlijk alleen in hun bovenste bureaula al meer dan vijfenzeventig dingen, laat staan in hun hele leven.

Mijn richtlijnen:

Als ik een nieuwe cd kreeg, moest ik er een andere voor terugruilen, of een oude cd verkopen. Hetzelfde gold voor boeken en dvd's (godzijdank zijn er bibliotheken). Als ik naar de bergen ging, dan huurde ik mijn ski's, een basketbal leende ik, software en muziek haalde ik gratis van internet.

Een kladblok telt als één ding, ook al zitten er dan zeventig velletjes in. Een paar sokken telt als één, en een paar schoenen idem dito.

Ik heb geen voorraad postzegels in huis of zo, want ik wil me nergens aan gebonden voelen. Ik breng mijn brieven altijd naar het postkantoor, zodat ik zelf nooit postzegels in mijn bezit hoef te hebben.

Dit doe ik al sinds mijn dertiende, want toen heb ik iets gelezen over een paar indianen, die bij hun vertrek uit dit leven zo min mogelijk 'voetafdrukken' op aarde wilden achterlaten. Dat heb ik heel letterlijk genomen. Alles wat ik kocht, was een grote, GROTE beslissing. Ik vroeg me altijd af of ik de verantwoordelijkheid aankon om het te bezitten, te onderhouden en op te bergen. Met andere woorden: HEB IK DIT NIEUWE OBJECT ZO HARD NODIG DAT HET HET WAARD IS OM IETS ANDERS WAT BELANGRIJK VOOR ME

IS TE VERWIJDEREN VAN MIJN LIJST VAN VIJFENZEVENTIG HEILIGE BEZITTINGEN?*[19]

Men zegt altijd dat je moet schrijven wat je weet. En zo ontstond het idee dat Larry moest schrijven over dingen waar hij (ik) veel van wist. En anticonsumentisme viel daar beslist onder. Bovendien was het een onderwerp dat net voet aan de grond begon te krijgen in onze cultuur. Er kwamen bijvoorbeeld steeds meer boeken uit over hoe we ons leven eenvoudiger kunnen maken. Jongeren krasten de logo's op hun T-shirt door. Misschien ging het slechts om een paar vrijheidsstrijders, maar ik dacht dat het best eens een trend zou kunnen worden. Ik vond het wel wat hebben om voorop te lopen in een nieuwe beweging. En dat Peter bij een reclamegigant aan het roer stond, gaf me het gevoel dat ik met de vijand onder één dak sliep, in een spannende *Spy vs Spy*-setting.

En zo ontstond Larry's mission statement: het aan de kaak stellen van verspilling, ongebreidelde uitgaven en culturele hersenspoeling.

Behalve wanneer ik zin had om ergens anders over te schrijven, natuurlijk.

Ik zeg niet dat ik dit allemaal bedacht heb om indruk te maken op Beth, toen die in haar Thoreau-fase was blijven hangen.

Maar het kon geen kwaad, zal ik maar zeggen.

*

[19] Dit wil heus niet zeggen dat ik nooit eens iets heel graag wil hebben; heus wel. Ik heb wel eens een paar dagen aan niets anders gedacht dan aan een leren jack. Gelukkig verdween mijn begeerte vanzelf toen ik zag dat onze adjunct-directeur meneer Perrelli dat jack ook had.

{*}

De eerste Larry-bijeenkomst vond plaats na schooltijd om halfdrie, in het lokaal van meneer Blake, van Spaans. Het kleine klaslokaal stroomde vol met leerlingen uit alle subgroepen: goths, sportgasten, muurbloempjes, techniekfreaks, hangtypes, nerds, en zelfs een paar cheerleaders. (Alsof die sportgasten nog niet erg genoeg waren, hadden we nou ook nog mensen nodig om ze aan te moedigen? Alsjeblieft, zeg.)

'Hallo iedereen!' schreeuwde Beth. 'Zullen we maar beginnen?'

Ik had Beth laten beloven dat ze zelf de teugels in handen zou houden. Lid zijn van je eigen fanclub was één ding, maar ook nog voor voorzitter spelen was iets totaal anders.

Marlon stak zijn hand op. 'Een vriend uit Wichita zei dat hij op het toilet van een boekwinkel langs Route 101 een sticker had gezien met *Larry* erop.'

'Mijn nichtje uit Los Angeles vertelde dat kinderen bij haar op school een nieuwe Larry-link hebben gelanceerd die wel meer dan honderd hits per dag krijgt,' voegde Jessica daaraan toe.

'Mijn zus ging op skikamp en zag daar een jongen met een *Larry for President*-button,' zei Eli.

Ik wilde mijn opengevallen mond weer dichtdoen, maar het lukte niet. Eén april was toch vorige week?

Hier werd ik geconfronteerd met de negatieve kant van een leven in halve afzondering. Natuurlijk, de Larry-website werd steeds populairder, maar stickers en buttons? In de chatrooms had ik daar niemand over gehoord.

Toen herinnerde ik me mijn gesprek van een paar dagen terug met *fuck-you*, over het veranderen van de wereld. En plotseling zag ik het licht, fel als na een stroomstoring: ik *was* bezig de wereld te veranderen. Met hele kleine stapjes natuurlijk, maar toch. Ik liet van me horen, en ik leverde een bijdrage. Ik zat klem in een te kleine schoolbank, maar ik was veel groter dan dat!

Leah uit mijn klas had het over Larry's belofte om de wereld te verbeteren. Als ik daar op een willekeurig moment in de klas iets over had gemompeld, zou haar minachting mij als een heipaal de betonnen vloer in hebben gestampt. De bijeenkomst werd afgesloten met een zelfgeschreven lied van Jessica, over de invloed van Larry op haar leven. Jessica was zo'n goth-grietje dat een permanent recht meende te hebben op de plek buiten het gymlokaal, om tussen de lessen door te kunnen roken. Meestal ontweek ik de blik in haar zwart omrande ogen, maar nu was ik toch enigszins aangedaan. Deze mensen, die me normaal gesproken nog zouden negeren als ik midden in de studiezaal in brand zou vliegen, hadden elk woord van Larry geanalyseerd en geïnterpreteerd.

'Wat geweldig om nou eens naar het grote geheel te kijken, en niet alleen naar ons stomme, bekrompen leventje hier op school.' Beth stuiterde door de gang terwijl ze tegen me praatte. 'We gaan naar mijn huis om te brainstormen. Blijf je vanavond eten?'

Plotseling leek de spirituele evolutie van de wereld betekenisloos, nu mijn relatie met Beth op een hoger plan leek te komen. Ik probeerde kalm te blijven. 'Klinkt prima.'

'Mooi, dat is dan afgesproken.'

Toen we langs het gymlokaal liepen, hoorde ik een grom die mij trof als een mokerhamer. Beth maakte haar arm los uit de mijne en draaide zich toen om naar Todd. 'Jij moest toch trainen?' vroeg ze.

'Afgelast. De coach had tijdens de lunch bedorven vis gegeten.'

Over bedorven vis gesproken... Ik hield mijn blik op zijn jasje gericht, om hem niet aan te hoeven kijken. Eigenlijk zouden ze *hem* de Tovenaar moeten noemen, want Beth veranderde voor mijn ogen in een ander mens met een andere stem.

'O jee. Ik hoop dat hij snel weer beter is.'

Ik wierp haar een aan minachting grenzende blik toe. Zij gaf mij een por met haar elleboog – en hard ook.

'Mijn moeder zit nog op haar werk,' zei hij tegen haar. 'Zin om langs te komen?'

Op de een of andere manier had ik het gevoel dat de uitnodiging niet voor mij bedoeld was.

'Dat moet te doen zijn,' antwoordde ze.

Ik trok Beth mee. 'Ik dacht dat je hem was vergeten,' zei ik half fluisterend, half schreeuwend.

'Luister, ik ben hier ook niet trots op, heus. Maar ik moet al mijn opties openhouden.'

En daarmee knalde Beth de deur dicht voor de ongebreidelde fantasieën die zich inmiddels gevormd hadden in mijn zwakke geest. Wat nog erger was, het was niet in Todd opgekomen dat ik misschien wel eens een bedreiging voor hem kon zijn. Ik vormde net zo'n groot risico voor zijn positie als een vlo.

Ik keek haar weer aan. 'Het grote geheel, zei je toch?'

'Wat is nou het probleem? Daar kunnen we morgen toch wel mee verdergaan?' vroeg ze.

Ik zei dat ik morgen aan mijn frisbee-robotproject zou werken.

'Dan maken we een andere afspraak.' Ze zwaaide me gedag terwijl ze vlak voor Todd zijn neus stond, maar die had mijn aanwezigheid nog steeds niet opgemerkt.*[20]

Hoe kun je me dit aandoen? Hij is saai en ik ben, ik ben... maar ik wist dat ik het woord *Larry* nooit over mijn lippen zou krijgen. Het treurige was dat zelfs Larry zich niet kon meten met de hormoonstoot die Todd de Geweldige heette. Ik keek omhoog naar de hemel, althans, naar het vlekkerige tegelplafond in de gang.

'Mam. Dit is te erg. Help me.'

Ik bleef daar staan tot ik wist wat me te doen stond.

Toen begon ik te rennen.

*

[20] Zijn gezicht was zo leeg dat je er bijna een film op had kunnen projecteren.

{*}

Meestal schreef ik mijn preken zittend in mijn hangmat, maar deze situatie vroeg om een totaal nieuw afzonderingsniveau. Ik fietste langs de winkels en het theater in de richting van het natuurgebied achter de begraafplaats. Voordat ik een mountainbike had, zette ik mijn fiets altijd aan het eind van het pad neer en ging dan te voet verder.*[21] Nu stuiterde ik met gemak over boomwortels en stenen. Het zou nog maar anderhalf uur licht zijn, maar er stroomde zo veel adrenaline door mijn aderen dat ik daar meer dan genoeg aan zou hebben.

Ik zette mijn fiets tegen een groepje esdoorns en liep nog een paar honderd meter verder. Het pad hield op en ik kroop door een paar braamstruiken tot ik de bekende berk en houtstapel bereikte. Ik veegde de bladeren opzij, haalde het kleed weg en daalde af in het ruime hol.

Mijn ondergrondse kamer was tien bij twaalf stappen groot, ongeveer net zo ruim als mijn slaapkamer thuis. De afstand van de grond tot het dak was ruim twee meter. Een paar jaar geleden had ik een maand lang elke middag na schooltijd en elke zaterdag staan graven. Sindsdien kwam ik hier eens per week om na te denken of om mijn gedachten juist uit te zetten – dat hing van de situatie af.

Ik vouwde mijn deken in vieren en ging op de ontdooiende grond zitten. Ik haalde de volledig opgeladen laptop uit mijn tas en begon te typen.

Preek 113

Goed, deze preek wijkt af van het gebruikelijke thema, maar ik moet er toch over schrijven.

*

[21] Voorwerp 54: ik had mijn gitaar moeten verkopen om hem te kunnen aanschaffen.

Kunnen we het over huichelaars hebben? Over mensen die doen alsof ze je beste vriend zijn, nee, die je beste vriend ZIJN, *tot er iets beters voorbijkomt?*

Mensen die zich omhoogwerken op de sociale ladder zijn net zo erg als mensen die zich omhoogwerken in het bedrijfsleven. Ze verplaatsen zich van de ene groep naar de andere, loeren naar mensen die een treetje hoger zitten en werken zich omhoog als opgefokte rupsen, tot ze op een dag – pats! – hun oude trede voorgoed achter zich laten en die verruilen voor iets groters en beters. Dan worden ze natuurlijk afgewezen in hun nieuwe groep en glijden ze terug naar hun vrienden die op de tree daaronder waren blijven hangen. En jij moet daar maar blijven wachten als de een of andere sukkel die plaatsen vrijhoudt bij een concert, want je hebt niet door dat je vrienden jou in de steek hebben gelaten omdat ze inmiddels een betere plek hebben gevonden.

Nou, ik weet niet hoe het met jou zit, maar ik ben het spuugzat om steeds dezelfde mensen telkens maar weer terug te verwelkomen in de kudde. Als je ervoor kiest om verder te gaan, ga dan! Maar kom niet terug als je nieuwe vrienden je in de steek laten, kom niet terug als iemand het uitmaakt, en kom niet terug als je weer jezelf wilt zijn, als je het zat bent om al je energie te steken in doen alsof je iemand anders bent, en als je gewoon weer bij de mensen wilt zijn die je altijd hebben geaccepteerd zoals je echt was.

Ben je het zat om de schijn op te houden dat je zo'n geestig, aantrekkelijk, gelukkig en attent iemand bent? Ben je het zat om te wachten tot je 'nieuwe' vrienden je ook zullen waarderen om je binnenkant? Nou, dan heb je pech. Dan neem je maar een paar aspirines, MAAR JE HOEFT ME MORGEN NIET TE BELLEN.

Zo, DAT luchtte op... Hoe graag ik het ook wilde, ik wist dat ik deze preek niet meteen kon opsturen. Beth zou nog in geen miljoen jaar vermoeden dat ik Larry was, maar de timing van deze preek was toch iets te opvallend. Ik zou hem opslaan en hem later pas mailen, en Beth in de waan laten dat ze heel even veilig was voor Larry's kritische blik.

Ik maakte een lijst van nog te behandelen thema's: nationale antiwinkeldag, bedrijfsboycots en de verheerlijking van beroemdheden. Ik klapte mijn laptop dicht en haalde een paar keer diep adem. Al zat ik de rest van mijn leven in deze kuil, dan nog zou ik geen genoeg krijgen van de geur van vochtige aarde. Het was de mengeling van leven en dood die me aantrok, de oergeur van de natuur. Ik klom naar buiten, maakte mijn schuilplaats weer onzichtbaar en ging toen in de boomhouding staan. De schemering brak aan, mijn favoriete moment van de dag.

Als kind was ik verslaafd aan gameboys. Dag en nacht zat ik op die knoppen te drukken; ik was gek op die mentale en visuele prikkels. Vreemd genoeg was het tegenovergestelde ook waar. Ik hield van de stilte, de vrijheid van het bos. Ik voelde me klein onder het gewicht van de natuur, waar het idee om iets te zeggen belachelijk overbodig leek. Steeds als ik hier kwam, had ik dezelfde gedachte: ga hier wonen, blijf je boodschap uitdragen, leef als een kluizenaar, ontsnap uit die klerezooi, laat al die spullen en huichelaars achter je. Zou een cultuurjunkie als ik zich kunnen losmaken van de beschaving en toch gewoon verder kunnen leven? Thoreau heeft het ook gedaan. Zou ik het kunnen?

Ik leunde achterover, met mijn rug tegen de boom. Gelukkig hoefde ik daar vandaag niet over te beslissen.

LARRY VOORWERP nr. 14 en 32

{*}

Twee dagen later ging ik naar een piano-uitvoering van Beth, allemaal Bach. Meer nog dan van haar muziek genoot ik van de manier waarop ze grijnsde als ze een fout maakte, niet nerveus zoals andere musici, maar eerder verrukt over het feit dat ze in staat was om muziek te maken, ondanks de fouten.

Onderweg naar huis klaagden we over de aanmeldingsprocedure voor de universiteit, vooral de essays. 'Je hebt echt een kristallen bol nodig om die te kunnen schrijven,' zei ze. 'Iedereen zegt dat je gewoon iets moet verzinnen, maar dat kan ik niet. Je weet hoe belangrijk ik het vind om eerlijk te zijn.'

Ik zonk weg op de achterbank en veranderde van onderwerp.

Toen ik haar de volgende dag weer zag, stond ze bij onze achterdeur met een stuk papier te wapperen. Ze had rode blosjes, alsof ze net slecht nieuws had gehad. 'Heb je de preek van vandaag al gelezen?'

Ik pakte het papier uit haar hand. Door haar concert was ik mijn donderpreek in het bos totaal vergeten. Ik vroeg waarom ze zo ontdaan was.

'Hij gaat over *mij*! Over toen met Todd. Dat was zo gevoelloos van me. En hij wilde toch alleen maar een beetje flirten.'

'Dat was toch niet echt een verrassing, mag ik hopen?'

'Ik ben alleen verbaasd dat ik er steeds weer in trap... wat een loser ben ik toch.'

Ze keek me recht in de ogen. 'Je zegt het wel als ik mijn mond moet houden, hè?'

Ik gebaarde dat ze verder moest praten.

'Weet je heel zeker dat je Larry niet hebt gebeld om te vragen of hij dit wilde schrijven?' vroeg ze. 'Het is zo raak, zo eng.'

Ik liet bijna mijn glas mineraalwater vallen.

'Ja hoor, tuurlijk, hij zei: "Geen probleem, Josh. Ik zal er meteen aan beginnen."'

Ze vroeg of ik het nieuwste voorwerp van Larry al had gezien. 'Het is een herenhorloge,' zei ze. 'Maar vrouwen dragen ze ook vaak. Althans, mijn moeder heeft er ook eentje.'

'Misschien is jouw moeder Larry wel.'

'Ja, hoor. En een beeldje van een hindoegod. Ik heb opgezocht wie het is.'

'Ganesha. Ik heb het vanmorgen gezien.' Ik voelde me plotseling niet meer helemaal zeker. Het beeldje was van mijn moeder geweest, en ik bewaarde het ingepakt in mijn kast. De enige reden waarom ik het nu al op de site had gezet, was omdat Beth het nog nooit had gezien.

'Dan heb je dit misschien ook gezien.' Beth gaf me nog een stuk papier en veranderde gelukkig van gespreksonderwerp.

Het was nog een print van de Larry-website, afkomstig van een van de prikborden.

> KOM UIT DE KAST, KOM TEVOORSCHIJN, WAAR JE OOK BENT. LARRY, WAAROM VERBERG JE JE ACHTER JE ANONIEME SCHERMNAAM? WIE BEN JE? BANG DAT NIEMAND MEER NAAR JE LUISTERT ALS IEDEREEN ZOU ONTDEKKEN WAT EEN LOSER JIJ BENT?
> –betagold

Ik had al eerder berichtjes van betagold gelezen. Hij/zij schreef/schreeuwde vrij vaak iets, maar nooit eerder op zo'n confronterende manier.

'Wat heeft dit met ons te maken?' vroeg ik.

'Nou, laten we hopen dat er niet allerlei gekken op de site afkomen. Ik bedoel, ik gun Larry zijn rust, jij niet?'

Ik pakte een nieuwe pot pindakaas uit de kast, greep een paar appels van de fruitschaal en sneed die in stukken. Het bericht van betagold was inderdaad verontrustend. Ik zat er echt niet op te wachten om mijn ware gezicht aan Beth te laten zien. Ik gaf haar de pindakaas en een lepel. Ze stak de lepel in het maagdelijke oppervlak.

'Alsof je de eerste bent die door de sneeuw loopt,' zei ze.

Normaal gesproken moest en zou ik altijd zelf een nieuwe pot pindakaas aanbreken, maar dat genoegen gaf ik graag op om te kunnen toekijken hoe Beth de lepel aflikte.

Beth keek me aan met een zeer vastberaden blik. 'Ik geef jou de volledige toestemming om naar mijn vaders winkel te gaan...'

'Rij drie, aan de linkerkant.'

'... een gigantische bolhamer te pakken...'

'Rubberen handvat voor meer grip.'

'... en me een paar keer op mijn hoofd te rammen als ik weer achter de eerste de beste jongen aan hol.'

'Volgens mij zou het Pavlov himself nog niet eens lukken om jou zomaar te deprogrammeren.'

Zo simpel was het. We waren weer gewoon onszelf. We zaten net als vroeger appels met pindakaas te eten, en vroegen ons af wat voor tatoeage onze leraren zouden kiezen als wij ze zouden dwingen om er een te nemen. Zij vertelde over haar nicht in Seattle die geopereerd moest worden, en ik vertelde haar hoe bang ik was dat Katherine straks echt bij Peter en mij zou intrekken.

Toen Beth naar de doe-het-zelfzaak was vertrokken, ging ik snel achter de computer zitten om betagolds bericht op de site te lezen. 'BANG DAT NIEMAND MEER NAAR JE LUISTERT ALS IEDEREEN ZOU ONTDEKKEN WAT EEN LOSER JIJ BENT?' Had betagold gelijk? Was dat een van de redenen waarom ik me verborg achter mijn schermnaam? Ik typte een algemeen antwoord, met daarin kreten als 'vrijheid van meningsuiting' en 'het recht op privacy', maar diep vanbinnen maakte ik me zorgen om iets veel minder grondwettelijks.

Stel nou dat ik zou worden ontmaskerd voordat ik mijn gewenste bijdrageniveau had bereikt? Ik moest in actie komen en Larry's productiviteit opvoeren. De preken waren leuk, maar ik begon al genoeg te krijgen van mijn eigen stem. Want zeg nou zelf, mijn preken waren slechts mijn eigen mening, op smaak gebracht met wat passie en retoriek. Als ik mensen daarmee raakte, dan was dat geweldig. Maar andere jongeren de les lezen was wel het laatste dat ik wilde. Natuurlijk ging het over onderwerpen die me erg aan het hart lagen, maar uiteindelijk moet iedereen zelf weten wat hij ervan vindt. Ik ben alleen deskundig als het om mezelf gaat.

Ik besloot wel door te gaan met de preken, maar de website uit te breiden met extra opties. Ik wilde nieuwe bezoekers aantrekken en wat meer daadkracht uitstralen.

Als betagold mij wilde ontmaskeren, dan moest hij of zij van goeden huize komen.

Preek 137

Wat vind je van deze modeshow?

Aan de ene kant van de catwalk staan modellen in van die trendy kleding waar jongeren hun zuurverdiende geld aan uitgeven. En aan de andere kant lopen de straatarme kinderen uit Zuidoost-Azië, die deze 'must-have'-collectie in elkaar hebben gezet. Het contrast is vast en zeker verhelderend, of misschien alleen maar gênant.

Maakt niemand zich nou druk over de groeiende kloof tussen de mensen die alles hebben en de mensen die niets hebben? Miljoenen mensen dragen de duurste kleding, eten het beste voedsel en rijden in de snelste auto's, terwijl het overgrote deel van de wereldbevolking hooguit een kommetje rijst eet en daarna een paar uur op een matje slaapt, als voorbereiding op de volgende werkdag van achttien uur.

Wist je dat van de ZES MILJARD *mensen op aarde de* HELFT *van minder dan* TWEE DOLLAR *per dag moet rondkomen? Dat is de prijs van een hippe kop koffie bij Starbucks. Daar word je toch beroerd van als je er goed over nadenkt?*

Onze SPULLEN *hebben betere 'levensomstandigheden' dan de meeste mensen hier op aarde.*

En dan heb ik nog niets gezegd over hoe we met de natuur omgaan. Naar olie boren binnen de poolcirkel? Waarom niet? Rijke blanke mensen moeten toch nog rijker worden? De emissienormen loslaten, zodat gasbedrijven meer winst kunnen maken? Natuurlijk! Waarom moeilijk doen over de ozonlaag, we kunnen ons toch beter om de aandeelhouders bekommeren?

Er komt een dag dat de natuur in opstand zal komen: gigantische aardbevingen en overstromingen zullen onze trieste levens verwoesten.

Ik bedoel, wie herinnert zich de Lorax nog, uit het beroemde kinderboek? Wie komt er nu nog op voor de bomen? We produceren en consumeren ons helemaal suf en zijn het contact met de echte wereld, de natuurlijke wereld, volledig kwijtgeraakt. Als je leven ervan afhing, zou je dan aan de zon kunnen zien hoe laat het is? Zou je zonder kompas het noorden kunnen vinden? En zou je het verschil weten tussen een witte eik en een rode esdoorn? Dat dacht ik al.

We zijn niet meer geschikt om in deze wereld te leven: we zijn toeristen, die over deze planeet rondbanjeren tot er niets meer van over is.

(Voor wie erin geïnteresseerd is: de esdoorn is de boom met die bladeren in de vorm van drie gespreide vingers.)

{*}

Gedurende de daaropvolgende weken begon het langzaam tot me door te dringen dat Larry misschien, heel misschien, wel iets teweeg had gebracht in de rest van de wereld. In een stadje verderop hadden mensen een boycot georganiseerd tegen een nieuwe vestiging van een grote winkelketen. Toeval? Misschien. Misschien ook niet. De spelers van het rugbyteam van school gingen zelfs in staking, omdat ze van de billboards van Nike af wilden, vanwege de slechte arbeidsomstandigheden in hun fabrieken. En het bizarre was dat de meeste scholieren achter hen stonden.

Eerst dacht ik dat dit alleen maar bij mij op school gebeurde omdat de Larry-rage zo dichtbij was ontstaan. Maar als ik de kranten en tijdschriften moest geloven, waren scholieren elders in het land zich ook gaan verzetten tegen alle commercie die ze door hun strot geduwd kregen. Het moest er een keer van komen dat de consumenten het niet meer pikten – het was onvermijdelijk, zoals eb en vloed, vraag en aanbod, je weet wel. Maar was het misschien ook een klein beetje Larry's verdienste? Wie weet?

Mijn vreugde was echter van korte duur, want betagold had weer een bericht achtergelaten op het prikbord.

IK BEGIN DICHTERBIJ TE KOMEN, LARRY. EN NIET DOOR JE BEZITTINGEN TE ANALYSEREN. IK ZAL JE OP MIJN EIGEN MANIER OPSPOREN. JE GEBRUIKT VAST EEN MOBIELE TELEFOON, VANDAAR DAT IK JE MODEMLIJN NIET KAN TRACEREN. MAAR VROEG OF LAAT ZAL IK DIE TOCH WETEN TE VINDEN. IK KEN IEMAND BIJ EEN TELECOMBEDRIJF, EN DIE BRENGEN ALMAAR NIEUWERE TRACKINGSYSTEMEN OP DE MARKT. VEEL MENSEN VINDEN DAT JE GOED WERK VERRICHT, MAAR IK VIND MENSEN DIE NIET VOOR HUN MENING DURVEN UIT TE KOMEN, LAF. IN DE KRANT ZETTEN ZE TOCH OOK DE NAAM VAN DE REDACTEUR BIJ EEN ARTIKEL?
PS: NIET DAT IK HET NIET MET JE EENS BEN – IK HEB OOK DE PEST AAN AL DIE COMMERCIE. IK VIND ALLEEN DAT DE WERELD ER RECHT OP HEEFT TE WETEN WIE JE BENT.

PPS: WOON JE SOMS IN NEW ENGLAND, LARRY? THUISBASIS VAN THOREAU EN EMERSON, JOUW IDOLEN? VEEL ESDOORNS DAAR, TROUWENS.

De pen die ik tussen mijn tanden had geklemd, viel op mijn schoot. Ik deed er altijd alles aan om niets in de preken te zetten wat me zou kunnen verraden, maar rode esdoorns, sjonge, daar had ik niet aan gedacht. Was die betagold soms een botanische detective of zo? Hij of zij zou mij onmogelijk kunnen vinden, zeker niet op basis van een boom. Ik had een plan, doelen. Wat dacht die betagold wel niet? Dat dit een spelletje was? Ik maakte een aantekening dat ik een nieuwe mobiele telefoon moest regelen, stak mijn pen weer tussen mijn tanden en begon een reactie te typen:

ZOALS IK AL EERDER HEB UITGELEGD, VIND IK DAT MIJN IDENTITEIT MIJN WERK ALLEEN MAAR IN DE WEG STAAT. ALS IK DE BEZOEKERS VAN DEZE WEBSITE VERTEL DAT IK ZWART BEN, OF HOOGLERAAR, OF EEN ZAKENVROUW MET PENSIOEN, DAN WORDT ALLES WAT IK TE ZEGGEN HEB PLOTSELING DOOR DIE BRIL BEKEKEN. SOMMIGE MENSEN HEBBEN MISSCHIEN HELEMAAL GEEN ZIN OM DE MENING VAN IEMAND UIT EEN BEPAALDE BEVOLKINGSGROEP TE HOREN. KUNNEN WE ONS NIET CONCENTREREN OP WAT IK TE ZEGGEN HEB, IN PLAATS VAN TIJD TE VERSPILLEN MET DISCUSSIES OVER MIJN MIEZERIGE IDENTITEIT?
PS: IK BEN NOG NOOIT IN NEW ENGLAND GEWEEST. IS HET DAAR MOOI?

Het zat me niet lekker dat ik moest liegen in het postscriptum, maar ik had niet veel keus. Als betagold echt een missie had, en ook maar een klein beetje op mij leek, dan zouden deze pesterijen niet ophouden tot Larry was ontmaskerd.

En het ergste was: net als ik kon betagold iedereen zijn. Iemand die ik al kende.

Wie dan ook.

{*}

Mijn moeder had goed begrepen hoe nieuwsgierig ik kon zijn, en ze bedacht altijd van alles en nog wat om mijn hersenen aan de gang te houden.*[22] Maar nu zij er niet meer was, verplaatste mijn onstilbare honger naar kennis zich naar de ondeugende categorie. Denk maar aan mijn online intermezzo met die arme mevrouw Phillips, of die keer dat ik op een zaterdagavond had ingebroken op school en alle klokken een kwartier had teruggezet, gewoon om de boel een beetje in de war te schoppen. Dus toen ik om twee uur 's nachts het slot van Peters koffertje openwrikte, was dat eigenlijk niets ongewoons.

De interne memo's leken tamelijk onschuldige demografische onderzoeken en rapporten van Peters grootste klanten. Maar toen ik ze doorbladerde, ontdekte ik dat ze extreem vertrouwelijk waren*[23]: geplande reclamecampagnes die voornamelijk gericht waren op het 'lucratieve jongerensegment'.*[24] Ik bekeek de advertenties. Joe Camel zat er niet meer bij, maar de tabaksfabrikanten hadden de illegale tienermarkt nog niet opgegeven. In een advertentie voor een bekende ontwerper werd de kritiek op het feit dat arbeiders in Azië maar een paar dollar per dag verdienen, afgezwakt.*[25] Een bierbrouwerij wilde met een gedrukte advertentie komen als collector's item voor tieners, die ook al jaren wodka-advertenties spaarden. En zo ging het maar door: genoeg materiaal om het complete Amerikaanse bedrijfsleven op te hangen aan hun designstropdassen.

*

[22] Bijvoorbeeld door schetsen te maken van ons bankfiliaal, zodat ik een fictieve bankoverval kon plannen – dat soort dingen.

[23] Alleen al doordat er op elke pagina met grote letters *geheim* stond, schoot mijn bloeddruk met minstens 25 punten omhoog.

[24] Tieners hebben het afgelopen jaar meer dan 141 miljard dollar uitgegeven aan spullen, wist je dat?

[25] Ze weigerden nog steeds om meer dan een paar dollar per dag te betalen, ze wilden alleen niet dat hun dat kwalijk werd genomen.

Ik scande het rapport, sloeg het op mijn harde schijf op en legde het origineel terug in Peters koffer.

Ik was woest over Peters betrokkenheid hierbij. Bedankt hoor, dat ik een dak boven mijn hoofd heb en dat de koelkast gevuld is, maar moeten jonge vrouwen in Indonesië lijden voor mijn welzijn? In zo'n wereld wil ik niet leven.

Ik bleef de hele nacht op om mijn eigen advertenties te ontwerpen. Ik liet het Gap-model er nog anorectischer uitzien dan ze al was, het Nike-logo veranderde ik in een hakenkruis en de mannen in de sigarettenadvertenties sloot ik aan op een zuurstofapparaat. Zoveel lol had ik niet meer gehad sinds ik het computersysteem van Blockbuster had gehackt en honderd exemplaren van *Pee-Wee's Big Adventure* had besteld.*[26]

Over Peter maakte ik mij geen zorgen. Als hij over deze informatie beschikte, dan gold dat ook voor andere topmanagers. Ik zette mijn nieuwe advertenties op Larry's website en hoopte dat er reacties op zouden komen.

Tegen het ontbijt hadden er zevenenzestig mensen gereageerd. Er waren mensen die eigen advertenties hadden geplaatst, soms een parodie op de bedrijven uit mijn advertenties, en anderen hadden hele nieuwe verzonnen.*[27]

Door de advertenties voelde ik me meer verbonden met Peter. Ik trad in zijn voetsporen, maar wel op een subversieve, anticonsumentistische manier. Ik genoot ervan om commentaar te leveren op de reclamewereld zonder er zelf deel van uit te maken.

Want voor een hardnekkige outsider als ik was dat een enorm pluspunt.

*

[26] Drie exemplaren waren absoluut niet voldoende.

[27] Mijn favoriet was een advertentie van Tommy Hilfiger, over een paar zwarte mannen bij een boothuis. Daaronder stond de tekst: 'Hoe kunnen we ooit een motorjacht betalen als er hier geen banen zijn, omdat jullie alles aan de andere kant van de oceaan laten produceren?'

LARRY VOORWERP nr. 26, 2, 17 en 21

{*}

'Het is officieel! Hij is een man!' zei Beth.

'Tenzij het een dikke vrouw is die boxershorts draagt.'

Ze gaf me nogmaals een mep.*[28]

Ik masseerde mijn arm en vroeg of we Larry eigenlijk wel moesten opsporen.

'Absoluut niet. Stel nou dat het een nerd met een tapijtnek is, die in de Everglades woont? Ik *wil* het niet eens weten!'

Reden nummer 56 om haar niets te vertellen.

Als Beth het bericht van betagold gisteren al had gelezen, dan liet ze dat niet merken.

'Ik doe al sinds dit najaar onderzoek naar consumentisme,' zei ze, 'maar de informatie die hij er net op heeft gezet, ben ik nog nooit tegengekomen. Larry moet dus echt over geweldige bronnen beschikken, of hij begint dingen uit zijn duim te zuigen.'

'Denk je dat echt? Het Amerikaanse bedrijfsleven? Er zijn bergen materiaal waar wij niets van weten.'

'Je hebt gelijk. Natuurlijk heb je gelijk.'

We zaten in de kantine met een stapel tarotkaarten die Beth van haar tweeëntwintig jaar oude zus Marie had gekregen. Bij het draaien van de kaarten bleef Beth maar in de handleiding turen, en ze begon steeds ernstiger te kijken. Plotseling veegde ze alle kaarten van tafel en stopte ze in haar tas.

'Wat is er?' vroeg ik.

'Niks.' Ze keek me niet aan. 'Deze kaarten zijn stom. Je kunt iemands toekomst niet voorspellen. Ik weet niet eens waarom Marie ze me gegeven heeft. Op dit soort onzin zitten we niet te wachten.'

'Het was een slechte boodschap, zeker? Ik kan wel wat hebben, hoor.'

Ze haalde de kaarten weer tevoorschijn en liet me de bovenste zien: een geraamte dat in een roeiboot de zee op vaart. 'De Dood,

*

[28] Ik was blij met elk fysiek contact.

zie je wel? Zie je nou hoe achterlijk ze zijn? Alsof je binnenkort doodgaat.'

Ik keek naar het geraamte en rilde onwillekeurig. 'Misschien kreeg je deze kaart omdat ik vandaag naar de begraafplaats ga.'

Ze sprong haast van haar stoel van opluchting. 'Ja, natuurlijk! Drie jaar geleden, toch? Ik wist dat het deze week was.'

Ze bladerde even in haar natuurkundeschrift en haalde er een crèmekleurige envelop tussenuit, waar *mevrouw Swensen* op stond. 'Zou je deze bij de bloemen willen leggen? Het is gewoon een klein briefje, net als vorig jaar.'

Die goeie ouwe Beth. Ik wilde tegen haar zeggen dat zij de enige was die me echt had weten te troosten toen mijn moeder stierf. Maar met mijn emotionele dwangbuis aan kon ik niet meer uitbrengen dan: 'Bedankt.' Met pijn in het hart slenterde ik naar mijn volgende les.

Ik weet dat het verkeerd was, maar tijdens het biologiepracticum stak ik de punt van mijn pen onder de klep van de envelop en maakte Beths brief open. 'Lieve mevrouw Swensen, ik mis u nog steeds, wij allemaal trouwens. Met Josh gaat het heel goed. U zou trots op hem zijn geweest. Blijft u over ons waken? Liefs, Beth.' Niet te sentimenteel, maar precies goed. Beth was altijd mijn moeders favoriet geweest.

Na schooltijd ging ik bij de bloemist langs en kocht een grote bos tulpen voor op mijn moeders graf. ('Met tulpen schiet je altijd in de roos,' zei mijn moeder altijd.) Thuis kwam Peter net aanrijden, in gedachten verzonken en met een gekwelde blik, want hij had zich – zoals elk jaar rond deze tijd – begraven onder het werk. Onderweg heerste er een ongemakkelijk stilte in de auto.

'Katherine wilde graag meekomen vandaag,' zei Peter na een tijdje. Hij wachtte mijn reactie af, maar ik gaf geen sjoege. 'Het leek me nog iets te vroeg,' vervolgde hij.

Ik kromp ineen bij de gedachte dat ik deze pelgrimstocht samen met mijn zo goed als zeker aanstaande stiefmoeder zou moeten maken. 'Nou ja, het was aardig aangeboden,' zei ik, alleen om hem een plezier te doen.

'Vind je? Dat vond ik ook, ja.' Dit was typisch zo'n enig-kind-moment, waarop je ouders even vergeten dat je hun kind bent, en tegen je beginnen te praten alsof je zomaar iemand bent. We hadden de laatste tijd wel meer van die momenten gehad. Ik vond ze wel prettig.

Peter draaide de jeep het laantje in dat het dichtst bij mijn moeders graf lag en we stapten uit. De rozenstruiken langs het pad stonden al bijna in bloei. Ik kon de plek met mijn ogen dicht vinden: tweeëntwintig grafstenen vanaf de hoek, zestien opzij.

'Ze hebben de steen pas twee weken geleden weer teruggezet,' zei Peter. 'Die stomme vandalen hadden deze hele rij met verf bespoten.'

Ik zag inderdaad dat de twee stenen naast die van mijn moeder onder de kronkelige rode strepen zaten.

'Ze kregen het graniet bijna niet meer schoon,' vervolgde Peter. 'Maar zo te zien hebben ze goed werk verricht.'

Ik knikte. Op de achterkant van haar grafsteen waren nog slechts een paar zeer vage verfsporen te zien. Maar vergeleken met wat me op de voorkant van de steen te wachten stond, zou ik echt veel liever graffiti hebben gehad. Gegraveerd in het graniet, onder mijn moeders naam en de data, stond mijn eigen naam.

JOSHUA SWENSEN
1983-

Ik staarde Peter aan, sprakeloos.

'Toen die steen werd weggehaald om te worden schoongemaakt, was het niet meer dan logisch om jouw naam er ook vast op te zetten. Volgens die man die over de grafstenen gaat, lag het heel erg voor de hand om dat te doen.'

'Ja, zeker omdat het niet zijn eigen naam is,' antwoordde ik.

'Je moeder ging ervan uit dat jij hier ook begraven zou willen worden. Ik zei toen dat je misschien ooit een eigen graf zou willen hebben, bij je toekomstige gezin, maar volgens haar ben je bij haar ter wereld gekomen, dus kon je net zo goed ook weer bij haar eindigen.'

'Ik *wil* hier ook begraven worden,' zei ik. 'Alleen niet nu. Vind je het niet een beetje ziek dat mijn naam nu al op die steen staat?'

Hij gleed met zijn vingers over de letters. 'Ja, je moet er wel even aan wennen. Het lijkt nu zo definitief.'

Een schrille kreet vulde de avondhemel. Ik wist dat het een kraai was in een van de berken verderop, maar ik moest meteen denken aan de tarotkaart van Beth, alsof het dat geraamte was, dat met een krassend gelach de duisternis in roeide.

JOSHUA SWENSEN JOSHUA SWENSEN JOSHUA SWENSEN

Het eerste jaartal was 1983, maar wat zou het tweede zijn? Ik stond naar de grafsteen te staren alsof het antwoord daar te vinden was, als een toerist aan een roulettetafel in Las Vegas die met wijdopen ogen afwacht waar het tollende balletje zal landen: 2061? 2043? Of misschien eerder, bijvoorbeeld volgend jaar? Het doel van ons deprimerende bezoek was om mijn moeder te herdenken. Hoe had ik ooit kunnen vermoeden dat ik vandaag bij mijn eigen dood zou stilstaan?

Ik nam een paar foto's en legde de tulpen op het gras, met de envelop van Beth erachter. In stilte zeiden we een paar gebeden voor mijn moeder, en daarna deed Peter een paar stappen achteruit – zoals elk jaar – zodat ik nog even met mijn moeder alleen kon zijn.*[29] Ik maakte in stilte een praatje met haar, maar eerlijk gezegd voelde ik haar aanwezigheid nog altijd sterker op de cosmetica-afdeling van Bloomingdale's.

Tijdens de terugrit sprongen mijn gedachten heen en weer tussen het geraamte in de boot en mijn naam op de grafsteen. Ik was pas zeventien en kerngezond; doodgaan leek een bespottelijke gedachte. Maar toch, ik was altijd al bijgelovig geweest. Misschien wezen de signalen er wel op dat een deel van mij zou sterven, namelijk Larry. Misschien was betagold aan de winnende hand, en was voor Larry het einde in zicht.

Peter en ik reden in stilte naar huis, maar mijn gedachten gingen oorverdovend snel. Het was nog te vroeg om Larry op te geven. Zijn werk was nog niet af.

Nog niet.

*

[29] Alsof we allebei wisten dat ze altijd meer van mij dan van hem was geweest. (Dat hij ons daar even alleen liet, was vermoedelijk zijn manier om ons los te laten en ons samen terug te laten keren naar het universum.)

{*}

Preek 163

Laten we het vandaag eens hebben over een andere manier van consumeren, goed?

Wat dacht je van al die beroemdheden waar we dagelijks van smullen?

Waar zijn ze mee bezig? Wie gaan er scheiden? Wie lijdt er aan een eetstoornis? Wie bedriegt zijn of haar partner?

We verslinden ze – eerst lepel voor lepel, dan met kruiwagens tegelijk, en ten slotte met gigantische vrachtwagens vol roddel en achterklap en GEOUWEHOER *over het leven van anderen.*

Waarom houd jij je bezig met die mensen, terwijl jouw leven hen geen ene moer interesseert? Misschien omdat je zelf geen leven hebt...

En nu we toch bezig zijn: zorg dat je tv altijd aan staat, anders mis je die sitcoms en 'infotainment'-programma's die op elk uur van de dag worden uitgezonden.

Tast toe! Prop je helemaal vol! Er is meer dan genoeg. Kom maar naar voren, jouw vijftien minuten van roem zijn aangebroken! Laten we JOU *eens op een voetstuk zetten! Praat maar in de microfoon en kijk in de camera, want we willen* ALLES *over je weten.*

Maar zodra we je tot op het bot hebben afgekloven, gaan we door naar het volgende slachtoffer.

Zie je die geraamtes daar? Dat is alles wat er overblijft van de beroemdheden die je altijd hebt aanbeden. En dat daarboven? Dat is die jongen van die boyband, waar je vorig jaar nog je haren bij uit je hoofd hebt staan trekken.

Zo jammer.

Zo zonde.

Het was zo'n aardige jongen.

{*}

Hoe komt het dat sommige dingen een succes worden? Pokémonkaarten, Gogo's, hoelahoepen? *Lotto Weekend Miljonairs?* Soms krijgt de cultuur iets in haar greep en trekt ze eraan. Ze trekt en trekt en trekt. Het is niet te verklaren, er zit geen gedachte achter. Als er waarschuwingssignalen waren geweest, zou ik het misschien hebben opgemerkt.

Naarmate Larry meer bezittingen op de website zette, begonnen steeds meer mensen over hem te praten. Hij is een jongen, hij draagt spijkerbroeken, hij moet nog redelijk jong zijn. Of niet? De chatrooms stroomden over van de theorieën. Weldra ontstond er een subgroep die elk voorwerp analyseerde en een profiel opstelde van wie Larry zou kunnen zijn. Ik besteedde net zo veel tijd aan de keus van het volgende voorwerp als aan mijn preken. Het aantal hits steeg dagelijks met meer dan 90 procent.

Toen het schooljaar zijn einde naderde, werd er alleen nog maar gepraat over de diploma-uitreiking en het eindgala. Omdat ik beide happenings aan me voorbij zou laten gaan, had de maand mei in een prettig en hanteerbaar tempo moeten verstrijken. Tenminste, als er twee dingen – die geheel buiten mijn invloed lagen – niet waren gebeurd.

De eerste kosmische ingreep was afkomstig van een eerstejaars student van de University of Georgia, Billy North genaamd. Volgens zijn website was Billy dol op het spelletje solitaire, radiografisch bestuurbare vliegtuigen en surfen op internet. Ik vermoed dat hij ook graag met woorden en letters in de weer was, zoals ík vroeger speelde met de magnetische cijfers op onze koelkast. Hoe dan ook, blijkbaar bulkte hij van de vrije tijd, want hij had alle preken van Larry uitgeprint. Daarna had hij het logo van Larry afgedrukt, een schaar gepakt en er vier kleine rechthoeken uit geknipt, en zo de stekker, de diskette, de duif en de aardbol uit het vredesteken verwijderd. Het resultaat was een 'Larry-sjabloon', dat hij over elke preek heen had gelegd. En geloof het of niet, zo ontstond er een woordpatroon: oost, stad, water, jongen. Billy plaatste deze woordenreeks op Larry's prikbord, en toen werd het plotseling een rage om Larry's identiteit te raden aan de hand van deze verborgen aanwijzingen. Mensen logden in om de meest recente preken te analyseren, en deden dat met een fanatisme dat niet meer was vertoond sinds men de platenhoes van *Abbey Road* afspeurde naar aanwijzingen over de dood van Paul McCartney.

Ik probeerde niet in lachen uit te barsten toen ik zijn oorspronkelijke bericht las, maar toen ik zelf het vredessjabloon over de preken legde, moest ik toegeven dat zijn theorie wel hout sneed. Veel woorden wezen in mijn richting. Ik gebruikte een van mijn andere schermnamen en stuurde het volgende bericht:

> NU LARRY JOUW SYSTEEM KENT, WERKT HET NIET MEER, TOCH? VANAF NU ZAL HIJ ANDERE WOORDEN IN DE VAKKEN PLAATSEN, OM JOU OP HET VERKEERDE BEEN TE ZETTEN.–24me

Billy schreef terug:

> HET GAAT ONBEWUST. LARRY WIL GEWOON ONTDEKT WORDEN. UITEINDELIJK ZAL HIJ ZICHZELF BLOOTGEVEN. HIJ KAN MIJN SYSTEEM NIET OMZEILEN.

Nu stak ik natuurlijk nog meer tijd in het redigeren van mijn preken. In plaats van me alleen maar op de tekst te concentreren, moest ik nu ook rekening houden met de indeling van de tekst.*[30] Ik moest Billy North in één ding gelijk geven: wat ik ook probeerde, de woorden in de vakken van het sjabloon gingen vaak over mij: jong, eigenzinnig, een lezer. Ik moest mezelf dwingen om ze aan te passen. Ik geef het niet graag toe, maar heel soms liet ik ze gewoon staan. Misschien had Billy gelijk en zou Larry zijn carrière inderdaad op de klippen laten lopen.

*

[30] Ik moet eerlijk bekennen dat ik de uitdaging meteen aanging.

Natuurlijk liet de reactie van betagold niet lang op zich wachten:

LARRY, JE DENKT TOCH ZEKER NIET DAT IK DIE ONZINNIGE KWADRANTEN OF DIE FOTO'S NODIG HEB OM JE TE VINDEN? IK ZAL JE OP DE OUDERWETSE MANIER OPSPOREN, GEWOON DOOR STUG DOOR TE ZETTEN. AL DIE EXCENTRIEKELINGEN KUNNEN VOOR MIJN PART HUN LOL OP MET DIE WOORDJES, MAAR NEEM MAAR VAN MIJ AAN DAT DIT VOOR MIJ GEEN SPELLETJE IS.
–betagold

Nu ik klem zat tussen Billy met zijn bizarre theorie en betagold die als een fanatieke rechercheur achter me aan zat, had ik moeten stoppen voor het te laat was. Er waren talloze redenen om ermee op te houden, en mijn rationele ik kon ze stuk voor stuk opnoemen. Maar mijn andere ik – de ik die vroeger, toen hij nog in zijn autostoeltje zat, zo graag over de snelweg wilde racen, de ik bij wie het vecht-of-vluchthormoon door zijn lichaam raasde – die ik wilde dat Larry doorging. En hij wilde niet alleen doorgaan, maar was bereid om alles op het spel te zetten en desnoods ten onder te gaan. Schommelend in mijn hangmat besefte ik dat nog geen scheepslading goede redenen mij kon beletten om met Larry verder te gaan. Hij was het perfecte alter ego voor een eenling als ik: openhartig en eigenzinnig. Larry hoefde zichzelf niet te verstoppen in een cocon van privacy, zoals die goeie ouwe Josh.

Het risico op zichzelf was beloning genoeg. Dus begon ik aan een paar nepadvertenties waarin Benetton en Abercrombie & Fitch ervan langs kregen. Er moest nog altijd een hoop gebeuren in de strijd tegen de tsunami van consumentisme, en daar zou ik verdomme mijn steentje aan bijdragen.

Wil je me hebben, betagold? Kom me maar halen.

LARRY VOORWERP nr. 33, 42, 50, 51 en 73

Door wat er daarna gebeurde, leek het hele Billy North-gedoe bijna normaal.

Een van Larry's preken – over dat de rijkste landen zich helemaal suf zitten te consumeren terwijl bijna de helft van de *zes miljard* mensen op aarde van minder dan *twee dollar per dag* moet leven*[31] – had tot veel discussie in de chatrooms geleid. Larry schreef een vervolgpreek over de Wereldbank, en hoe die derdewereldlanden zou kunnen helpen door hun een deel van hun schulden kwijt te schelden.*[32] Deze preek had ik weken geleden al op de site gezet, maar hij had niet tot veel commotie geleid.

Tot Bono hem las.

Het schijnt dat de zanger van U2 onderzoek deed voor een presentatie die hij zou geven voor de Amerikaanse Senaat over zijn stokpaardje – de Wereldbank en de schulden van de derde wereld – en daarbij op Larry's preek stuitte. Die intrigeerde hem, hij had de website bekeken en was erg gecharmeerd van de anticonsumentistische wind die er waaide en van het motto 'bevrijd ons van de onderdrukking door het bedrijfsleven'. Tot zover niets aan de hand, ware het niet dat U2 ook een nieuw nummer had uitgebracht. Het ging over antimaterialisme en het was *echt* een cool nummer. Bono had het maanden eerder al geschreven en het had absoluut niets met mijn preken te maken, maar er waren een paar fanatieke Larry-fans die zich daar niets van aantrokken. Zij hadden zich het nummer toegeëigend.

Het nieuwe nummer leidde tot een videoclip – met daarin een buffet zo *volgestouwd* met etenswaren dat wie tot op dat moment

*

[31] Ik herhaal dit nog maar een keer, want het is belangrijk.

[32] Waarom zouden de armste landen iets aan de rijkste landen moeten terugbetalen? Zeker als je bedenkt dat deze leningen zijn aangegaan door dictators die er allang niet meer zijn. Het was een van Larry's meer 'prekerige' preken, maar wel mijn persoonlijke favoriet.

nog niet geïnteresseerd was in het terugdringen van onze consumptie, na het zien ervan zonder enige twijfel overtuigd zou zijn.

Natuurlijk leidde de clip weer tot interviews en artikelen.

En tot een tournee.

En door al deze prachtige, geweldige dingen kwamen de miljoenen en miljoenen U2-fans in de daaropvolgende weken allemaal op dezelfde plek terecht.

Op Larry's website.

Ik zal niet zeggen dat ik niet gevleid was – *natuurlijk was ik gevleid*. Ik was opgegroeid met hun muziek, en mijn moeder was altijd hun grootste fan geweest.*[33] Maar ook al was ik door het dolle heen omdat Bono het met Kurt Loder over Larry had, ik wist ook dat het een van de grondbeginselen van Larry's filosofie was om celebrity-verering te verafschuwen. Ik werd verscheurd. Ik had mijn rechterarm eraf willen hakken om Bono de hand*[34] te kunnen schudden, maar diep in mijn hart wist ik dat ik mijn eigen leven moest leiden en Bono met rust moest laten. Het was een verwarrende, maar ook erg spannende periode.

'Ik heb vanmorgen even ingelogd op Larry,' zei Beth, toen ze langskwam voor het ontbijt. 'Er waren al meer dan een miljoen hits.'

'Wat?' Ik racete naar beneden, maar besefte toen dat Beth meteen achter me aan kwam. Ik maakte snel een mentale scan van alle spullen die op mijn bureau lagen en besloot dat de kust veilig was.

'Eén komma drie miljoen,' zei ik, terwijl ik naar de teller keek die maar bleef doorlopen. 'Ik hoop dat Larry genoeg geheugen heeft.'

'Waarom moet je je daar nou druk over maken?' Beth keek me

*

[33] Op een van de laatste foto's die ik van haar heb, heeft ze bijna geen haar meer en ligt ze op de bank met haar *Joshua Tree*-T-shirt aan. Ik ben naar die hoge, kronkelige prikboom genoemd, omdat mijn moeder tijdens haar zwangerschap bij vrienden in Arizona op bezoek was geweest. Toen vier jaar later het album van U2 uitkwam, leerde ze elk nummer uit haar hoofd.

[34] Gezien dit voorbeeld zou dat dus mijn linkerhand zijn.

aan met die achterdochtige blik die ze normaal gesproken bewaarde voor jongens die haar probeerden te versieren.

Ik legde haar uit dat ik niet wilde dat Larry's site zou crashen.

'Ik maak me zorgen om hele andere dingen. Dat Larry's boodschap ondergesneeuwd raakt in al dit, dit...'

'Commerciële gedoe,' maakte ik haar zin af.

'Het is goed nieuws, daar gaat het niet om. Ik bedoel, we hebben het hier wel over Bono – Amnesty International, noem maar op. Ik hoop alleen dat hij hier niet aan ten onder gaat.' Ze keek weer naar me. 'Gaat het?'

Ik zei van wel en beloofde dat ik haar later die dag bij de doe-het-zelfzaak zou zien.

Toen ze vertrokken was, keek ik naar het tellertje op de website dat maar bleef doorlopen: een ware McDonald's voor hongerige spirituele bezoekers. Ik keek omhoog naar het balkenplafond en deed een schietgebedje.

'Mam?'

Ik probeerde het nogmaals. 'Mam? Dit is goed, toch? Dat mijn boodschap steeds meer mensen bereikt?'

Het bleef stil in huis.

'Ik hoef me geen zorgen te maken, toch, mam?'

Het eerstvolgende geluid dat ik hoorde was gelach, een luide, bulderende lach, afkomstig uit de keuken, waar Katherine en Peter net waren binnengekomen. Peter moest wel een geweldig goeie mop hebben verteld, want Katherine kon niet meer ophouden.

'Mam, dit is niet grappig,' zei ik.

Maar de kosmos gaf geen krimp en bleef het huis vullen met gelach, zoveel dat zelfs een troep hyena's nog dekking zou gaan zoeken.

Had ik dat ook maar gedaan.

{*}

Ik besloot mijn paranoïde gedachten uit mijn hoofd te zetten en aan het werk te gaan met wat de kosmos me had aangeboden.*[35]

Hoewel we nog maar een week naar school hoefden, was het aantal leden van de club gegroeid tot meer dan 78% van het examenjaar.*[36] Beth klapte in haar handen om de aanwezigen stil te krijgen.

'Goed. Dankzij U2 zijn er miljoenen mensen op Larry afgekomen. De vraag is: hoe voorkomen we dat Larry's boodschap ondergesneeuwd raakt onder al deze aandacht?'

Zo ken ik je weer, meisje, in één klap tot de kern van de zaak doordringen. Met haar vraag verwoordde ze mijn eigen zorgen, die me die week diverse nachten uit de slaap hadden gehouden. Ik was zelfs zo ver heen dat ik 's nachts handenvol M&M's naar binnen had zitten werken en met Peters mankala-spel had gespeeld. Mijn slapeloosheid had zulke heftige vormen aangenomen dat ik een keer een handje glazen steentjes in mijn mond stopte in plaats van M&M's, wat bijna een totale gebitscrisis tot gevolg had.

Tijdens deze bijeenkomsten probeerde ik zo min mogelijk op te vallen. Gelukkig waren veel leerlingen erg betrokken. Sharon liet ons een set stickers zien die ze had ontworpen.

Op de eerste stond: NIET NOG MEER SPULLEN.

Mooi, de spijker op zijn kop.

Sharon liet haar volgende ontwerp zien. VERKOOP ONS GEEN TROEP MEER.

Deze werd met geloei en applaus ontvangen.

'Dit is een serie,' zei Sharon, 'om over andere advertenties of billboards en zo heen te plakken.' Ze hield ze omhoog.

DEZE ADVERTENTIE BELEDIGT MIJ.

DEZE ADVERTENTIE BELEDIGT KINDEREN.

DEZE ADVERTENTIE BELEDIGT VROUWEN.

*

[35] Ik nam altijd liever aan dat het glas halfvol was dan halfleeg.

[36] Inclusief een paar docenten, wat raar was.

'En mijn persoonlijke favoriet: WIE STERFT MET DE MEESTE SPULLEN IS NOG ALTIJD HEEL ERG DOOD.'

Barry besprak de nepadvertenties, waarvan hij posters wilde maken. Als iedereen zijn steentje zou bijdragen, hadden we genoeg geld om er een paar honderd te laten drukken. We besloten de volgende zaterdag tot 'antispullendag' te bombarderen, en dan zouden we de hele stad volplakken met anticommerciële propaganda. Ik zou de taak op me nemen om onze ideeën op Larry's website te zetten, voor het geval groepen elders in het land zich bij onze plannen wilden aansluiten.*[37]

Na de bijeenkomst liepen Beth en ik samen naar huis.

'We doen eerst het winkelcentrum,' zei ze, 'en daarna zoveel mogelijk grote winkelketens.'

Ik vroeg haar of ik Peters auto zou lenen.

'Nee, laten we maar met de fiets gaan. Als we echte activisten willen zijn, dan moeten we het ook goed doen.'

'Breng de actie weer terug in het activisme,' zei ik.

'Waarom heb je dat net niet gezegd? Daar hadden we een fantastische poster van kunnen maken.'

Daarna zette ze me even op het verkeerde been. 'Jij gaat zeker niet, of wel?' vroeg ze.

'Waarnaartoe? Naar het winkelcentrum? Waar heb je het nou over?'

'Nee, naar het eindgala, volgende week,' antwoordde ze ongeduldig.

'Natuurlijk niet.' We liepen verder zonder iets te zeggen. 'En jij?'

'Iemand zei dat Todd van plan was om mij te vragen, maar dan zou ik nee zeggen. Een eindgala is zo'n schijnvertoning,' zei ze.

'Ranzig,' zei ik. 'Niet dat we uit ervaring kunnen spreken.'

Ze glimlachte zo verward en zag er zo kwetsbaar uit dat ik in lachen uitbarstte. En zij ook.

'Twee buitenbeentjes, walgend alleen al bij het idee dat ze er-

*

[37] Mijn instinctieve reactie was om te doen alsof het allemaal niets voorstelde, omdat ik de aandacht niet op mijzelf wilde richten.

bij zouden horen, al was het maar voor één avondje.' Dit zei ik om ons ongemakkelijke gevoel te verdrijven, maar diep vanbinnen wist ik dat we er allebei een moord voor zouden doen om wel dat wereldje binnen te kunnen stappen wanneer we daar zin in hadden. De keren dat Beth op zulke feestjes was geweest en erbij had gehoord, had ze te danken gehad aan de jongens met wie ze soms uitging: ik moest het van Larry hebben. Eigenlijk hadden we vooral met elkaar gemeen dat we met de rest niet zoveel gemeen hadden.

Toen ik thuis op de website keek, besefte ik dat ik niet de enige was die zich overdonderd voelde door de reclamewereld, want de nepadvertenties bleven maar toestromen. Er zaten ongelofelijk creatieve ontwerpen tussen.*[38]

Mensen over de hele wereld wisselden ideeën uit en maakten plannen om hun woonplaatsen te beplakken met de verschillende boodschappen. U2 had de website geen kwaad gedaan, en de boodschap werd nog steeds uitgedragen. De groep had hem juist sterker gemaakt. Dit was anti-apathie op zijn best. Ik nam met genoegen een upgrade voor mijn server.

Helaas had ik toen ik thuiskwam mijn flyers bij het koffieapparaat laten liggen. Het afgrijselijke geluid dat ik achter me hoorde was afkomstig van mijn stiefvader die uit zijn dak ging.

Hij legde de advertenties naast elkaar op de bar alsof hij die opnieuw wilde betegelen. 'Hoe kom je hieraan?'

Ik zei 'van de Larry-website'.

Hij wees naar de wodka-parodie. 'Heb je enig idee hoeveel mensen er aan dit account hebben gewerkt? Aan onderzoek, ontwerp, drukwerk, marketing? Voor honderden mensen betekent deze advertentie brood op de plank.'

'Dat zijn er waarschijnlijk minder dat het aantal alcoholisten in

*

[38] Dit leverde de volgende tegenstrijdige gedachtekronkel op: stel nou dat deze jongeren dankzij hun ontwerptalenten in een duur betaalde baan terecht zouden komen, uitgerekend bij de bedrijven die ze nu op de hak namen? Schommelend in mijn hangmat lag ik daar een tijdje over te peinzen.

ons land,' zei ik. '*Dat* is pas een grote groep.' Ik wachtte tot hij mijn echte vader ter sprake zou brengen, die voor mijn geboorte aan een alcoholvergiftiging was overleden.*[39] Godzijdank deed hij dat niet.

Ik probeerde zijn mening aan te horen en mijn groeiende woede te onderdrukken.

Hij wees naar een andere advertentie. 'En deze dan. Lekker makkelijk voor zo'n joch om op internet te lopen klagen over verhongerende kinderen in Afrika, terwijl hij zelf op een dure iMac werkt.'

'Dat is niet zo,' zei ik.

'O? En hoe weet jij dat nou weer?'

'Hij heeft een foto van zijn laptop op de site gezet,' hakkelde ik. 'En dat was geen Apple.'

'Nou, misschien wordt het dan tijd dat hij Apple onder vuur gaat nemen. En Microsoft. Wacht maar tot Larry wordt ontmaskerd en iedereen kan zien wat een nul hij is, dan wil ik nog wel eens zien wat er van al deze ophef overblijft.'

'Hij wordt niet ontmaskerd.'

Peter lachte zelfgenoegzaam. 'Katherine heeft een hoop onderzoek naar hem gedaan. Volgens haar is het een kwestie van tijd.' Hij graaide de papieren van de bar, alsof iemand hem bij het delen slechte kaarten had gegeven. 'En ik wil deze onzin hier niet meer zien in huis, behalve in de vuilnisbak.'

Ik begreep niet waarom hij zo boos was. 'Waarom voel je je hier zo door bedreigd?'

Verkeerde vraag.

Want als door een alien bezeten duwde mijn anders zo rustige en beheerste stiefvader mij plotseling tegen de koelkast.

'Geen woord meer over deze flauwekul, is dat duidelijk? Jij wilt niet naar de diploma-uitreiking? Prima. Maar dit? Dit accepteer ik niet!'

Voordat ik mijn mond opendeed, zorgde ik ervoor dat ik mijn stem volledig onder controle had. 'Laat me los.'

*

[39] Zo af en toe vroeg ik me af wat voor iemand mijn vader was geweest, en of ik op hem leek, maar dat was net zoiets als het bestuderen van de gladiatoren in het oude Rorne: het had niets met mij te maken.

Het leek wel of Peters geest weer terugvloog in zijn lichaam. 'Ik... het spijt me.' Hij trok zijn das recht. 'Dat was helemaal nergens voor nodig.'

Mijn gezicht betrok bij de herinnering aan die nacht dat ik in zijn koffer had zitten neuzen. 'Maakt niet uit.'

'Deze advertenties... ze zijn overal. We moeten allemaal nieuwe campagnes opzetten. We staan onder grote druk, de mensen aan de top, de verkopers en ook de drukkers. Niemand weet waar die gast zijn ideeën vandaan haalt.'

Het was nooit mijn bedoeling geweest om Peter dwars te zitten; het ging mij alleen maar om de informatie in zijn koffer.*[40] Ik keek hem uitdrukkingloos aan, en ik wilde dat ik een gepast antwoord had. Hij vertrok in stilte en de deur trilde na toen hij die achter zich dichtsloeg.

De onvermijdelijke kloof tussen ons werd pijnlijk zichtbaar. Over een paar maanden zou ik op Princeton zitten, en dan zou ik hem nog maar een paar keer per jaar zien.

Dat vooruitzicht was voor hem waarschijnlijk net zo prettig als voor mij.

*

[40] Het risico had me overmoedig gemaakt – stom van me.

LARRY VOORWERP nr. 41

{*}

'Wat geweldig om zo mijn verjaardag te vieren.' Beth fietste met losse handen over de parkeerplaats achter het winkelcentrum.

'Tenzij we in de gevangenis belanden,' zei ik.

'Kom op, meneer Thoreau. Waar blijf je nou met je burgerlijke ongehoorzaamheid?'

Daar had ik niets op tegen, ik was alleen bang dat we wegens overlast of zo in de bak terecht zouden komen. En die gevangenis, daar zat ik niet zo mee, maar ik wilde niet dat er te veel aandacht op me werd gevestigd, gezien het geheime leven dat ik leidde. Om van Peters woede nog maar te zwijgen.

'Het ziet er dus naar uit dat Larry in een koud deel van het land woont. New Hampshire, Wisconsin en Montana krijgen de meeste stemmen op de prikborden.'

'Hij kan ook in Florida wonen en toch zulke laarzen hebben.'

'Niet als je maar vijfenzeventig bezittingen hebt.'

Ik zei dat ik in dat geval op Wisconsin zou stemmen. Gelukkig was het bijna zomer en hoefde ik ze voorlopig niet aan.

We zetten onze fietsen op slot, en toen kon ik niet langer wachten. Ik gaf Beth een doosje. 'Gefeliciteerd.'

'Dat had toch niet gehoeven,' zei ze.

'Alleen zelfgemaakte dingen, geheel volgens de regels.'

Ze maakte het doosje voorzichtig open en glimlachte toen ze de ketting zag.

'Ik vond ergens een oud Chinees telraam,' zei ik. 'Dat heb ik uit elkaar gehaald en de kralen aan een zijden snoer geregen. Ze zitten in een speciale volgorde: 2.368.586 gedeeld door 682 is 3.473. Die kristallen kraal in het midden is het isgelijkteken...' Ik hoopte dat er een auto op me in zou rijden, zodat ik zou ophouden met mijn gewauwel.

'Wat fantastisch. Vergeleken hiermee lijkt dat bouillabaissemobiel van vorig jaar een werkje van niets.'*[41] Ze deed de ketting

*

[41] Scharen van kreeften, zeeglas en schelpen, aan een visdraad geregen. Het hing nog steeds voor haar slaapkamerraam. Hoe was het mogelijk dat ze die hint niet had begrepen?

om haar nek en gleed met haar vingers over de blauwe steentjes. 'Ik heb mezelf dit jaar ook een verjaardagscadeau gegeven. Kijk, dit wilde ik je al een paar dagen laten zien.'

Tot mijn verbazing rolde ze haar broekspijp op. Boven haar rechterenkel zat een verse tatoeage van een cirkel met een dollarteken erin, waar een streep doorheen was getrokken.

'Dat meen je niet! Weten je ouders het al?'

Ze schudde haar hoofd. 'Ik had Maries ID bij me, maar die man vroeg er niet eens naar.'

Ik voelde met mijn hand aan Beths huid.*[42] 'Vakwerk.'

'Ik wilde er eerst "Larry" op laten zetten, maar ik was bang dat ik dan op een groupie zou lijken. En dit symbool zegt eigenlijk alles.'

Ik ging bijna hyperventileren bij de gedachte dat Beth liep te pronken met een tatoeage van mijn alter ego. Als een jong hondje liep ik achter haar aan het winkelcentrum in.

We beplakten de muren en toiletten van het hele winkelcentrum en wisten de weinige bewakers met gemak te ontwijken. Te oordelen naar de mensen die zich rond de posters verzamelden, hebben we zelfs enige discussie losgemaakt.

Daarna deden we hetzelfde bij grote winkelketens als Pottery Barn, Virgin Records, the Gap, Nike Town en Restoration Hardware.*[43] Toen we even zaten te pauzeren, zagen we meneer Lynch, onze biologiedocent, op ons afkomen. Beth schoof de overgebleven posters in haar tas.

'Nou zijn we de klos,' zei ik.

Hij ging bij ons aan het tafeltje zitten. 'Jullie zijn goed bezig,' zei hij. 'Wij Amerikanen verbruiken veel meer van alle hulpbronnen dan waar we recht op hebben.'

Beth en ik glimlachten terug en gaven hem een paar posters.

'Weet je waar ik gek van word?' vervolgde hij. 'Van die stickertjes die ze op ons fruit plakken. Dat doen ze alleen voor hun eigen plezier, en niet voor de consument. Tegen de tijd dat je zo'n stickertje

*

[42] Elk excuus.

[43] 'Dit is GEEN doe-het-zelfzaak,' herhaalde Beth als een mantra.

eraf hebt gepeuterd, is die heerlijke peer helemaal verpest. En weet je waarom ze het doen? Omdat niemand erover klaagt.'

Zo lang als ik hem kende, had ik meneer Lynch nog nooit zo geestdriftig gezien. Hij zei 'tot volgende week' en liep weer verder.

Beth gooide haar waterflesje in de recyclebak en keek meneer Lynch na. 'Zou hij misschien...'

'Wat?'

'Meneer Lynch?'

'Wat is er met hem?'

'Nou je weet wel, misschien is hij Larry wel.'

'Je bent niet goed wijs!'

'Hij draagt spijkerbroeken, hij heeft laarzen...'

'Ja, wedden dat hij ook een horloge en een riem heeft?' zei ik. 'Ik dacht dat je het niet wilde weten.'

'Het is moeilijk om er niet in mee te gaan, nu iedereen daar zo mee bezig is.' Ze huiverde. 'Zei ik dat echt? Schiet me maar neer.'

Tevreden over onze geslaagde actie fietsten we naar huis.

'Ik voel me net zo'n vrouw die in de fabriek aan het werk was terwijl alle mannen aan het front vochten. Alsof ik echt iets heb bijgedragen,' zei ze.

'Ja, aan het opblazen van de Japanners,' antwoordde ik.

'En aan het beëindigen van de oorlog.'

'En bijna ook van onze beschaving.'

'Jij weet van geen ophouden, hè?' Ze glimlachte erbij, dus ik vatte het op als een compliment.

We bleven op het trapje bij haar voordeur zitten tot ze naar pianoles moest.

'Je ging toch weg vandaag?' vroeg ze.

Omdat we nog maar een paar dagen naar school hoefden, mocht ik spijbelen van Peter. Door de bijeenkomsten van de Larry-club en onze bezoekjes aan het winkelcentrum had ik een overdosis aan sociale activiteiten gehad, en een uitstapje in de natuur zou me goed doen.

'Ik ben ook op mijn privacy gesteld,' zei Beth. 'Maar drie dagen alleen in het bos... je bent echt niet goed wijs.'

'Ik ben pas niet goed wijs als ik *niet* ga,' zei ik. 'En het gaat niet alleen om privacy –'

'Het is de afzondering.' Dit had ze me al zo vaak horen herhalen.

Ik pakte mijn spullen bij elkaar.

'Goed werk vandaag. Larry zou trots op ons zijn geweest,' zei ze. 'Die tatoeage zou hij ook heel erg chill vinden.'

'Denk je?'

'Ik weet zeker dat hij elke centimeter van je voet zou willen kussen, als hij het wist.'

Ze gaf me een mep. 'Ik zie je woensdag.'

Ik fietste naar huis, en hoewel ik ertegen opzag om Beth drie dagen niet te zien, zag ik ernaar uit om alleen onder de sterrenhemel te liggen.

Ik kon niet vermoeden wat er in drie dagen allemaal kon gebeuren.

{*}

Preek 213

Ooit geprobeerd om uit de consumentenachtbaan te springen en een tijdje alleen te zijn? En dan bedoel ik niet gewoon alleen, maar alleen in de natuur: geen reclames, geen visuele prikkels, behalve de vogels en de bomen. Ik heb Thoreau er maar weer eens bij gepakt: 'Want elke wandeling is een soort kruistocht.' Dat geldt ook voor mij, als ik uren door het bos dwaal, op kruistocht voor het goede doel, en me ontdoe van alle lagen ROTZOOI en alleen de stilte laat binnenkomen.

Niets te koop hier, niets om te verkopen. Niets om weg te gooien, niets om over na te denken.

Als ik me afzonder, lijkt mijn 'echte' leven oppervlakkig en alleen maar gericht op mijn eigen genot. Roddel, gebabbel, rollenspellen: ons dagelijks leven is de langstlopende theaterproductie aller tijden. We hebben het alleen niet in de gaten.

Is het tijdverspilling om een uur lang naar een spreeuw te kijken? En liggend op een bed van mos naar de sterren te kijken? Mijn grote vriend Thoreau zei ook: 'Hij die altijd maar stil thuis blijft zitten, is misschien wel de grootste zwerver van allemaal.'

Het is goed om alleen in de natuur te zijn. Met eenzaamheid heeft dit niets te maken.

* Deel drie *

'... en er klonk een stem uit de hemel: 'Jij bent mijn geliefde Zoon, in jou vind ik vreugde.'

Marcus 1:11

{*}

Weet je hoe het voelt als je in de tweede versnelling rijdt en hem dan per ongeluk in zijn vijf zet? Ik had me ingesteld op een lunch met Beth en hoopte te horen hoe geweldig ze de preek over Thoreau had gevonden,*[44] maar het nieuws waarmee ze op de proppen kwam, bracht me in één klap in een andere realiteit.

'Je raadt nooit waar Bono mee bezig is.' We spraken inmiddels over de megarockster alsof we hem persoonlijk kenden. 'Een gigantisch rockfestival op een groot leeg grasveld in Maine. U2 treedt er op, samen met nog een heleboel andere bands! Muziek, kraampjes met handgemaakte spullen...' las ze voor vanaf het papier in haar hand. 'Het moet een spontane bijeenkomst worden, gericht op anticonsumentisme en goodwill in het algemeen. Ze hebben het de Larryfestatie genoemd.'

'De *Larryfestatie*?' schreeuwde ik. Droomde ik dit?

'Er hebben zich al tienduizenden mensen aangemeld,' zei ze. 'En je zult het niet geloven, maar ik mag er ook heen van mijn moeder, omdat Marie ook gaat met twee vriendinnen. Zij kunnen ons een lift geven. We kunnen daar kamperen. Nou, wat vind je ervan?'

'Ik trek me drie dagen terug en dan is er ineens een *festival* op poten gezet?'

'Het wordt ons eigen Woodstock,' zei ze.

'Woodstock was in augustus.'

'Nou, dit is op de Vierde Juli! Relax!'

Ze vertelde dat alle bands gratis zouden optreden, en dat eten en drinken tegen kostprijs verkocht zouden worden, niet zozeer vanwege het Woodstock '99-debacle, maar in verband met Larry's

*

[44] Ik was zelfs een beetje nerveus: Larry schreef over de natuur en Thoreau, terwijl ik diep in het bos hetzelfde deed. De timing was een tikje riskant, zelfs voor mijn doen. Ik had genoeg Josh/Larry-hints gegeven om iemand als Beth het verband te kunnen laten leggen, wat het natuurlijk alleen maar spannender maakte.

anticommerciële agenda. 'Het is een festival zonder nutteloze onzin, zonder rotzooi; er is alleen ruimte voor muziek, dans, zang, vriendschap en ideeën. Het wordt echt te gek!'

Te verbaasd voor woorden zei ik haastig 'tot zo' en ging naar de bibliotheek om in te loggen. Het was wel duidelijk dat de mensen die hierachter zaten, dit in het diepste geheim hadden gedaan, om Larry te verrassen. 'Een nieuwe cultuur: voor jou, voor ons allemaal,' stond er met grote paarse 20-punts letters in het mailtje. 'Larry, wie je ook bent, blijf incognito, maar zorg alsjeblieft dat je erbij bent!'

Ik moest zo hard lachen dat mevrouw Costanzo, onze bibliothecaresse, me van de andere kant van de ruimte tot stilte moest manen. De zaal zag er kaal en verlaten uit, klaar voor de zomervakantie. Ik draaide me weer om naar het scherm.

Ik schreef me onmiddellijk in – Josh Swensen zou erbij zijn.

Ik kwam Beth weer tegen bij haar kluisje. 'Het is te gek,' zei ik. 'Natuurlijk gaan we.'

'Todd wilde ook met ons meerijden, maar hij heeft een familieverplichting waar hij niet onderuit kan.'

'Todd? Ik dacht dat die uit beeld was.' SJONGE, WAT HEB IK NOG MEER GEMIST TIJDENS MIJN AFWEZIGHEID?

'Hij *is* ook uit beeld, hij wilde alleen een lift. Zeur niet zo.'

Plotseling voelde ik me overdonderd door alle informatie. Na schooltijd stapte ik op de fiets en reed als een gek naar Bloomingdale's.

Helaas was Marlene er niet, alleen een vrouw met felroze lipstick en een moedervlek waar een haar van een paar centimeter uit stak. Ze gebaarde dat ik weg moest gaan. Maar al was ze de woeste koningin Brunhilde zelf geweest, dan had ik me nog niet laten wegjagen, dus plofte ik gewoon neer in de zachte stoel.

'Mam? Hoor je me?' Ik wachtte tot ik haar aanwezigheid kon voelen.

'Ik doe het, mam. Ik ben echt bezig om de wereld te veranderen. Honderdduizenden mensen komen binnenkort in vrede bij elkaar. Het werkt, mam. Ik beteken iets voor de wereld.'

Ik zag haar lachende gezicht weer voor me, terwijl ze bezig was enveloppen te vullen voor haar zoveelste liefdadigheidsactie, met in haar oren die oorbellen met veertjes die ze ook al droeg toen ze nog op de universiteit zat. 'Ik ben zo trots op je, Joshy,' zei ze altijd.

'Kan ik u verder nog ergens mee van dienst zijn?' vroeg Madame Moedervlek.

'Ja. Zou u mij misschien nog een paar minuten met rust kunnen laten? U stoort mij in een nagenoeg perfect moment.'

Ze liep dreunend weg, en ik wachtte af wat de eerstvolgende voorbijganger te zeggen zou hebben, bij wijze van bericht van mijn moeder.

'Houd dit vast,' zei een man tegen zijn vrouw. 'Het is je levenswerk.'

Als een ware overwinnaar stak ik mijn vuisten in de lucht. Larry's ideeën waren al nooit uit mijn gedachten, maar nu moest ik er 24 uur per dag naar gaan handelen.

En de Larryfestatie was de perfecte plek om daarmee te beginnen.

{*}

Door het mailtje dat Larry de volgende dag van betagold ontving, werd ik echter ruw opgeschrikt uit mijn droom van vrede, liefde en begrip.

> GA JIJ NAAR DE LARRYFESTATIE, LARRY? MET JE SPIJKERBROEK EN JE LAARZEN AAN? EIGENLIJK ZOU HET HET LAFAARDFESTIVAL OF DE VERBERG-JE-ACHTER-JE-SCHERMNAAM-MANIFESTATIE MOETEN HETEN, VIND JE OOK NIET? MISSCHIEN KUNNEN WE MET Z'N ALLEN EEN POTJE DOEN DURVEN OF DE WAARHEID SPELEN EN LARRY ONTMASKEREN? OF, BETER NOG, WAT DACHT JE VAN EEN LEUGENDETECTOR IN PLAATS VAN EEN METAALDETECTOR BIJ DE INGANG? BUUT LARRY, KOM MAAR TEVOORSCHIJN, WAAR JE OOK BENT.
> IK KOM OOK, LARRY.
> EN IK ZAL JE VINDEN.
> –betagold

Deze keer gaf ik niet eens antwoord. Ik wilde betagold niet verder in de kaart spelen. Vanwege betagold en Billy North screende ik Larry's preken wel duizend keer voor ik ze op de site durfde te zetten, doodsbang dat ik mezelf met een onschuldige opmerking over een straatnaambordje of een blauwe reiger zou verraden.

Alles liep lekker: het schooljaar zat erop, Beth en ik waren fulltime in de doe-het-zelfzaak gaan werken en we hadden eindelijk de gezwellige feestelijkheden rond de diploma-uitreiking achter ons gelaten. Het was uitgesloten dat betagold mij in Maine zou kunnen vinden. Er hadden zich al 230.000 mensen aangemeld en ik zou niet opvallen in de mensenmassa. Ik zou daar een van de vele tieners zijn, op zoek naar de diepere betekenis van het leven.

Tenzij ik erin werd geluisd.

LARRY VOORWERP nr. 57

Zou het echt mogelijk zijn?

Dat honderdduizenden mensen samenkomen om te vieren dat ze vrij zijn van de reclameboodschappen en de hebzucht? En zich verheugen over het feit dat ze geen consumerende marionetten zijn, die hun zuurverdiende geld uitgeven aan spullen die ze niet nodig hebben om een stel vadsige rijkaards nog rijker te maken dan ze al zijn?

Kan dat zonder geweld, zonder woede?

Kunnen meisjes en vrouwen zich veilig voelen, en gerespecteerd?

Kunnen we dit bereiken zonder officiële aanbeveling van wie dan ook?

Is er ruimte voor verschillende meningen? Sterker nog, worden die met enthousiasme ontvangen?

Ik weet het niet.

Maar daar komen we snel genoeg achter.

Ik zie je daar.

Liefs,

Larry

PS: ik ben te herkennen aan mijn T-shirt en mijn glimlach.

LARRYFEST GENADM 317 X ADULT LFST12471
EVENT CODE
SECTION/AISLE
ROW/BOX
SEAT
ADMISSION
EVENT CODE
$ 0.00
CONVENIENCE CHARGE
$ 0.00
GENADM
MC 8X
317 X
LFST12471
RAIN/SHINE
LARRYFEST
LIMESTONE, ME
JULY 4, 5, 6
10AM – 10PM
AUDIO/VISUAL RECORDING,
CAMPING, BRING YOUR OWN
FOOD ENCOURAGED
CN 42495
GENADM
MC750ZFE
317 X
$0.00
SPONSERED BY
NO ONE INC.
WWW.FREETIX.COM

{*}

Ik stond voor het spandoek van de Larryfestatie, te overdonderd voor woorden. De honderdduizenden bezoekers werden verwelkomd door Larry's logo, en onder hen waren veel tieners, maar tot mijn verbazing ook peuters met ouders van middelbare leeftijd, en senioren. Ik was ervan uitgegaan dat vooral scholieren en studenten zich tot Larry's boodschap aangetrokken zouden voelen, maar mensen van alle leeftijden waren hiernaartoe gekomen voor een vrolijk weekend vol muziek.

De mensen stroomden samen bij de ingang, maar niemand leek ongeduldig of geïrriteerd. Veel deelnemers hadden de logo's op hun shirt en jas doorgekrast of hadden een simpel, zelfgemaakt T-shirt aan, met daarop de tekst *Ik ben je billboard niet*. Een meisje van vijftien vroeg of ik wist waar het hoofdpodium was. Beth had onderweg de plattegrond uit haar hoofd geleerd en wees haar de weg.

'Dit is ongelofelijk,' zei Beth voor de miljoenste keer. 'Larry zal wel compleet overdonderd zijn.'

Ik zei dat ze daar ongetwijfeld gelijk in had.

Beths zus en haar vriendinnen zetten hun tent op in de buurt van de kraampjes met handgemaakte spullen. Beth en ik sjouwden onze tent en slaapzak naar het veldje waar de bodypainters zaten.

Het eerste uur sprak ik nauwelijks een woord. Ik banjerde maar wat rond om foto's te maken. Mijn hoofd tolde door de immense omvang van het evenement. Muziek, kleuren, etenswaren – alles leek surrealistisch, een soort Technicolor-explosie. Dat ik dit allemaal teweeg had gebracht zag ik niet als mijn eigen verdienste, iets waar ik trots op kon zijn; nee, ik schreef het succes toe aan een hogere macht die veel sterker was dan ik. De kosmos stond nu aan het roer, en ik gaf het maar al te graag uit handen.

Mijn oog viel steeds weer op iets anders. Engelenvleugels, veelkleurige toga's, hoorntjes, visnetten, voetbaluniformen, Amerikaanse vlaggen, hoge hoeden, camouflage, Larry-tatoeages. Bij de eettentjes werden tegen kostprijs enchillada's, salades en noedels verkocht. Poland Spring deelde duizenden flesjes water uit. Plaatselijke bands deelden het podium met internationale popsterren. De rijen bij de kraampjes van goede doelen en voor vrijwilligerswerk waren net zo lang als die voor de mobiele toiletten. Mensen tekenden petities, deden plechtige beloften, zaten rond kampvuren en wisselden ideeën uit. Zelfs in mijn wildste en krankzinnigste dromen had ik onmogelijk zoiets interessants, spontaans en *positiefs* kunnen bedenken. Larry was een eigen leven gaan leiden.

Beth en ik dansten bijna de hele middag. Toen U2 het podium op kwam, als afsluiting van de zaterdagavond, ging het publiek uit zijn dak.

Halverwege het optreden maande Bono de menigte tot stilte. 'Er is veel commotie ontstaan over wie Larry nu eigenlijk is. Vrienden, zal ik jullie eens wat vertellen? Ik wil het niet eens weten!'

Het publiek juichte.

'Larry, deze is voor jou.'

De openingsakkoorden van het nummer dat inmiddels was omgedoopt tot 'Larry's Theme' vulden de nacht.*[45] Het publiek gilde en zong mee. Het was met grote voorsprong het mooiste moment uit mijn zeventienjarige leven. In de acht minuten dat het nummer duurde, verdwenen mijn jarenlange tienertwijfels over de vraag of ik ooit iets voor de wereld zou kunnen betekenen als sneeuw voor de zon. Ik genoot van de wetenschap dat ik een kleine katalysator was in het grote plan van het universum. Toen Beth en ik eindelijk bij onze tenten terugkeerden, vielen we als een blok in slaap.

De volgende dag woonden we een presentatie bij van de Larry-organisatie uit Salt Lake City, waar werd gesproken over hoe billboards en grote winkelketens uit hun stad konden worden geweerd. Een groep uit Boulder, Colorado gaf mensen advies hoe ze de wapenindustrie in hun staat konden aanpakken. Billy North had een tent waar hij zijn theorie over Larry's woordkeuze toelichtte.*[46] Beth en ik sloten ons aan bij een groepje dat yoga deed in een kathedraal van naaldbomen. Op de weg terug naar het kamp

*

[45] Eerlijk gezegd had ik liever mijn favoriete U2-nummer 'Bad' gehoord, volgens mijn moeder het beste rocknummer ooit gemaakt. Maar als Bono 'I'm a Little Teapot' had gezongen, dan had ik net zo hard meegeschreeuwd.

[46] Ik MOEST wel naar hem luisteren, het was gewoon te perfect.

liepen we langs nog een heleboel andere kraampjes en we trokken een tijdje op met twee jongens uit Oakland, die een videoreportage van het festival maakten. (Ik zorgde er natuurlijk wel voor dat ik bij de camera uit de buurt bleef.)

Beth liep een tijdje voor me uit en kwam toen terug met haar handen op haar rug. 'Ta-daa!' Ze hield een grote paarse tovenaarshoed omhoog met gouden manen en sterren erop. Ze zette hem op mijn hoofd. 'Hierbij roep ik jou, Josh Swensen, uit tot Onovertroffen Tovenaar.'

Ik moest erg lachen om de absurditeit van dit attente cadeau, en intussen bedacht ik alvast voor welke bezitting de hoed straks in de plaats zou moeten komen. Zelfs de Grote Merlijn had een dag als vandaag niet kunnen voorspellen.

'Vind je hem mooi?' vroeg Beth.

Ik omhelsde haar stevig en zei dat ik hem fantastisch vond.

Op de terugweg naar de tenten bekeken we de rest van de kraampjes.

In een hoek, aan het einde van de achterste rij, stond een cafétafeltje met een spandoek erboven. Ik bleef stokstijf staan. TEKEN DEZE PETITIE ALS JE OOK VINDT DAT LARRY ZICH BEKEND MOET MAKEN! Ik ging nonchalant bij het tafeltje staan. Er lag een klembord op met een dikke stapel lijntjespapier. Veel handtekeningen stonden er niet op. Op een bordje stond een toelichting op de petitie.

IK STA HELEMAAL ACHTER LARRY'S BOODSCHAP, MAAR IK BEN TOCH NIET DE ENIGE DIE ZICH ERAAN STOORT DAT HIJ/ZIJ ZIJN/HAAR NAAM NIET ONDER ZIJN/HAAR PREKEN DURFT TE ZETTEN?

'Je hebt altijd mensen die niet gewoon kunnen genieten en altijd iets te zeuren moeten hebben,' klaagde Beth.

TEKEN DEZE PETITIE ALS JE OOK VINDT DAT WE ER RECHT OP HEBBEN OM TE WETEN WIE ELKE DAG ONS HUIS EN ONS HOOFD BINNENDRINGT. TEKEN HIER ALS JE VINDT DAT ER BINNEN DE FILOSOFIE VAN LARRY GEEN PLAATS IS VOOR DIT SOORT GEHEIMEN.

Ik hoefde niet te zien wie er achter deze petitie zat, maar het antwoord stond toch op het blad. MAIL ME ALS JE HIEROVER WILT DOORPRATEN. –betagold.

De petitie was grotendeels ingevuld met opmerkingen als 'Doe even normaal, betagold' en 'Wat maakt ons dat nou uit? Het werkt.' Enkele tientallen mensen hadden betagolds kant gekozen en hun handtekening op de petitie gezet.

'Ik ben benieuwd of Larry dit gezien heeft,' vroeg Beth zich af. 'Wat zou hij hiervan vinden?'

'Waarschijnlijk hoopt hij dat betagold gewoon verdwijnt.'

'Nou, hier nog een.'

Ze vlocht haar vingers in de mijne. Ik zei helemaal niets, bang om de betovering te verbreken, maar in de droomwereld van de Larryfestatie waren Beth en ik ineens een stel. Steeds als mijn gedachten afdwaalden naar wat er zou gebeuren als we weer thuis waren, visualiseerde ik een gigantisch rood stoplicht. Ik wilde het heden niet verpesten met zorgen over de toekomst.

'Zullen we naar het kamp teruggaan?' zei ze.

Sinds mijn elfde is mijn liefde voor Beth onwankelbaar geweest. Nu lagen we hier in onze slaapzakken naar de sterren te kijken, mijn arm om haar heen geslagen op een ongedwongen (voor haar), maar toch betekenisvolle (voor mij) manier.

Het succes van het festival klaterde als een duizelingwekkende fontein door mijn hoofd. 'Denk je dat Larry hier ook is?' Ik speelde intussen met een van haar vlechten.

'Ja, dat kan niet anders. Wedden dat hij het *helemaal te gek* vindt?'

'O ja, zeker weten,' zei ik. 'Absoluut.'

Ze leunde op haar elleboog. 'Wat voor iemand zou hij zijn, denk je? Een soort Einstein of een hele gewone jongen?'

'Gewoon zo'n jongen met een tovenaarshoed op.'

Ze keek me lang aan en gaf me toen een por tegen mijn arm. Ik trok haar dichter tegen me aan. Het zou zó niet-Larry zijn om nu misbruik te maken van mijn Larry-schap om Beth voor me te winnen.*[47]

Als ik mijn geheime identiteit aan Beth bekend wilde maken, dan was dit het perfecte moment. Ik keek naar haar, zoals ze daar

*

[47] Maar eigenlijk bedoel ik natuurlijk dat het overgrote deel van mij dat juist wél wilde.

lag, opgerold in haar slaapzak, en woog in gedachten de opties af. JA, NEE, JA, NEE. JA. NEE. JA! Onze relatie zou op een hoger plan kunnen komen, en *ik* zou een hoger eerlijkheidsniveau kunnen bereiken. En daarom besloot ik het haar te vertellen.

'Beth?'

'Wacht even, kijk.' Er kwamen drie meisjes uit Chicago op ons af, die een zelfgeschreven songtekst uitdeelden om morgen met z'n allen te gaan zingen.

Toen ze weer weg waren, draaide Beth zich om naar mij. 'Ja?'

Maar het moment was voorbij. Ze gaf me een kneepje en ging toen weer op haar rug liggen om naar het vuurwerk te kijken. Een uur later zei ze welterusten en ze gaf me een bescheiden kus op mijn wang. Toen ze sliep, bleef ik door het tentgaas naar haar kijken.

Had ik het verknald? Had ik zelfverzekerder moeten zijn en haar moeten zeggen wat ik voelde? Ik was iemand die voor de lol schematische tekeningen maakte van de kubus van Rubik, maar ik was niet in staat om door te dringen tot mijn emotionele kern en tegen mijn beste vriendin te zeggen wat ik voor haar voelde. Met mijn moeder kon ik dat wel, maar het is vast niet goed als een mens in zijn hele leven maar tegen één persoon eerlijk kan zijn. Eigenlijk had iedereen recht op een beetje eerlijkheid. Mijn bedoelingen waren goed en mijn gevoelens oprecht, ik slaagde er alleen niet in om van één en één twee te maken. Waarom maken ze niet van die kleurige magneetcijfers voor het hart? Want *daar* zat mijn echte pijnpunt.

Of was mijn gedrag een oefening in pure zelfbeheersing? Misschien was het wel ordinair om uitgerekend onder dit knallende vuurwerk met Beth de liefde te bedrijven, en zou het juist een anticlimax zijn.*[48] Had ik er dan toch goed aan gedaan om mijn mond te houden?

Die nacht sliep ik amper. Lekkere tovenaar was ik, eerder een soort Mickey Mouse die met een emmer een overstroming probeert te stoppen. Loser.

*

[48] Onbedoelde woordspeling.

Ik zag de zon opkomen boven de mensenzee en liep naar een van de waterposten. Een oma-achtige vrouw liet haar tandenborstel in de modder vallen; het huilen stond haar nader dan het lachen.

'Het is veel drukker dan ik had verwacht,' zei ze.

Ik gaf haar mijn tandenborstel, vers uit de verpakking. 'Hier. Mijn vriendin heeft een hele voorraad bij zich, die gaat altijd extreem goed voorbereid op pad.'

De vrouw pakte mijn hand vast en bedankte me uitbundig. Ze gebruikte dezelfde handcrème als mijn moeder altijd op had. Ik hield mijn hand bij mijn gezicht en snoof de vertrouwde geur op. Mam, dacht ik, dit had je toch in geen miljoen jaar kunnen bedenken? De wereld is in beweging, het bewustzijn verschuift, en we gaan langzaam de goede kant op.

Praat tegen me, mam. Vertel me wat je ervan vindt. Alsjeblieft.

Ik wachtte.

De vrouw voor me ging bij de geïmproviseerde wasbak staan. Ze hield haar tandenborstel als een vlag omhoog. 'Je moeder zou zo trots op je zijn.'

Deze tandenpoetsende vrouw zou nooit weten dat mijn dag dankzij haar niet meer stuk kon.

Preek 272

Volgens de critici was het onmogelijk, maar het is ons gelukt!

Het is ons gelukt zonder sponsoring vanuit het bedrijfsleven.

Het is ons gelukt zonder officiële aanbeveling van wie dan ook.

Het is ons gelukt zonder afgebrande tenten.

Het is ons gelukt zonder woede en vechtpartijen.

Het is ons gelukt zonder geweld tegen vrouwen.

Het is ons gelukt zonder dat mensen bang hoefden te zijn.

Het is ons gelukt zonder cynisme en apathie.

Het is ons gelukt met idealisme.

Het is ons gelukt met enthousiasme.

Het is ons gelukt dankzij de inzet van gewone mensen.

Het is ons gelukt met hoop.

Het is ons gelukt met muziek.

Het is ons gelukt, ook al had niemand verwacht dat we het konden.

De wereld veranderen?

Gedaan.

Mee bezig.

Kunnen we.

LARRY VOORWERP nr. 62 en 67

{*}

Ik was nog steeds niet geland toen ik Larry's berichten opende.

> HEB JE GENOTEN VAN DE LARRYFESTATIE?
> HEB JE MIJN KRAAM GEZIEN?
> IK HEB UITEINDELIJK 4589 HANDTEKENINGEN VERZAMELD, LARRY. HET IS EEN ECHTE BEWEGING.

Ik bladerde verder omlaag: zelfs betagold kon me vandaag niet van mijn stuk brengen. Althans, dat dacht ik.

> LARRY, HET ZAL NIET EENVOUDIG ZIJN, MAAR MET DE JUISTE APPARATUUR KAN IEMAND DIE FOTO WEL OPBLAZEN, DE PIXELS MANIPULEREN EN ZO DE MENSEN OP DE FOTO PROBEREN TE IDENTIFICEREN. IK GA DAT NIET DOEN. NIET NODIG.
> HEB JE EEN NIEUWE MODEMVERBINDING, LARRY? OF GEWOON EEN NIEUWE MOBIELE TELEFOON MET EEN ANDER NUMMER? HOE GA JE DAT AANPAKKEN? ELKE DAG EEN NIEUWE TOT IK JE HEB GEVONDEN? O JA, IK HEB NOG EEN NIEUWTJE: VOLGENDE WEEK VLIEG IK NAAR BOSTON OM JE TE ONTMASKEREN. JE MAATJE, betagold.

BAF! Dat was de klap waarmee ik met beide benen op de grond terechtkwam.

Op weg naar de koffiecorner vroeg ik me af wie betagold nu eigenlijk was. In mijn toenemende paranoia dacht ik dat het misschien de nieuwe serveerster was. Ik voelde dat ze naar me keek, maar misschien stond ze gewoon te wachten tot ik wegging, zodat zij het tafeltje kon schoonmaken. Betagold moest wel in een ander deel van het land wonen, als hij of zij hier met het vliegtuig naartoe kwam, en wie het ook was, hij/zij had genoeg geld om zoveel tijd en moeite te steken in dit cyber-kat-en-muisspel.

Gedurende de daaropvolgende dagen bij de doe-het-zelfzaak deed ik steeds een 360-gradencheck van alle gangpaden en keek ik omzichtig om elke hoek. Was het die man met die voorzetzonnebril, die stokken voor zijn tomatenplanten moest hebben? Of dat meisje dat zo lang bij de gootsteenontstoppers bleef hangen? Ik zweette me kapot, ondanks het briesje dat door de open deuren naar binnen waaide.

Val dood, betagold. (Nou ja, bij wijze van spreken. Ik zou nogmaals een nieuwe modemlijn regelen, ook al was deze pas drie dagen oud.)

Van stoppen zou geen sprake zijn.

Achteraf gezien had ik natuurlijk wel moeten stoppen en de website meteen na de Larryfestatie uit de lucht moeten halen, toen die op zijn hoogtepunt was.

Maar dat deed ik niet. Ik wilde er juist nóg meer energie in steken.

Ik stelde mezelf de eeuwige vraag. Vechten of vluchten?

Er viel niets te besluiten.

{*}

Het was zaterdagochtend vroeg, en ik was nog niet aangekleed. Beth wees naar mijn pyjama-met-zwemvest-combinatie en vroeg waar ik mee bezig was.

'Ik droom de laatste tijd steeds dat ik verdrink,' antwoordde ik. 'Dus ik dacht, laat ik maar voorbereid gaan slapen.'

'Dromen dat je verdrinkt. Ik ben benieuwd wat Freud daarover te zeggen zou hebben.'

'Waarschijnlijk een diepgeworteld emotioneel probleem. Maar *dat* wisten we al.' Ik maakte mijn zwemvest los, deed het om haar slanke lichaam en maakte het vast.

Ze gooide haar lange haar over haar schouders. 'Bedankt dat je me hebt gered,' zei ze.

En toen besloot ik om het haar te vertellen, daar in onze keuken. Haar te vertellen dat ik Larry was, dat ik probeerde haar te redden, of eigenlijk ons allemaal, maar bovenal mezelf. Dat het zoveel gemakkelijker zou zijn als zij en ik samen zouden zijn. Ik wilde haar alles over mijn geheime leven vertellen, met een gemak alsof ik een slaapzak voor haar openhield, waar ze zo in kon klimmen.

Maar ik deed het niet.

Ik deed iets veel ergers.

Ik kuste haar.

'Wat doe je?' Ze sprong zo snel achteruit dat ik dacht dat ze door de schuifdeur naar buiten werd gelanceerd.

'Ik dacht... je weet wel... na de Larryfestatie...'

'Ik kwam eigenlijk langs om je iets te vertellen.' Vanaf de deur liep ze naar de stoel bij de tafel. 'Het is weer aan met Todd.'

'Wat?'

'Ik was zo in de war tijdens het festival,' zei ze. 'En toen ik weer thuis was, heeft hij me gesmeekt om langs te komen en met hem te praten.'

'Maar hoe zit het dan met al dat vlees dat uit zijn poriën sijpelt?'

'Dat wilde ik dus vertellen. Hij eet geen vlees meer, hij zit nu ook bij de club, dus we zullen zien.' Haar stem stierf weg. 'Daarom ben ik dus naar je toe gekomen, om je te vertellen dat Todd en ik iets met elkaar hebben.' Met haar vingers zette ze aanhalingstekens rond 'iets met elkaar hebben', om het af te zwakken, om het een ironisch tintje te geven. Het liefst wilde ik naar haar toe lopen en die pianovingers er een voor een af breken.

Eindelijk hield ze op met ratelen; ze evalueerde de situatie. 'Ik had gehoopt dat je blij voor me zou zijn. Nou ja, een heel klein beetje.'

Ik proefde de pijn in mijn mond, een zoete, metaalachtige smaak. Maar zelfs die tastbare pijn wist ik niet in eerlijkheid om te zetten. In plaats daarvan begon ik tegen haar uit te varen.

'Perfect,' ging ik tekeer. 'Precies wat je altijd hebt gewild. Uitgaan met een grote, domme, vleesetende sporter, met een borstomvang die bijna net zo groot is als jouw IQ.'

'Doe niet zo belachelijk.'

'*Jij* bent belachelijk.'

'Luister. Ik dacht dat je dit wel aan zou kunnen. Want als wij niet meer normaal met elkaar kunnen omgaan, ben ik nog liever dood en begraven.'

'Nee hoor, geen vuiltje aan de lucht. Alles is prima.' *Ik* was degene die het liefst onder de grond wilde verdwijnen. Eerlijk zijn over mijn emoties? Ik ben bang dat ik dat gewoon niet aankon.

Ze maakte het zwemvest los en hing het aan de stoel. 'Ik weet dat het een gigantisch cliché is, en ik durf het bijna niet te zeggen...'

'Als je wilt vragen of we niet gewoon vrienden kunnen blijven, vergeet het dan maar!'

Ik was in acht jaar nog nooit echt kwaad op Beth geweest. Maar dat ze volhield dat ik blij moest zijn dat iemand het meisje van wie ik altijd had gehouden voor mijn neus had afgepakt, was meer dan ik kon verdragen. Ik hield de deur voor haar open en zei dat ik ging douchen.

Zou ze deze marteling nog erger kunnen maken?

Maar natuurlijk.

Ze keek me aan en kuste me op mijn wang. 'Kunnen we hier niet samen uit komen?' vroeg ze. 'Ik ben verdomme altijd een soort zus voor je geweest.'

Sorry hoor, ik ben enig kind, maar broers duwen hun zus toch altijd van de trap, en dat soort dingen? Want dat is precies waar ik nu zin in had, zo hard dat ze in de tuin van de Larsons terecht zou komen. Ik hield de deur open tot ze was vertrokken.

Toen Peter en Katherine terugkwamen van het winkelen, had ik nauwelijks nog energie om ze te begroeten.

'Kijk eens wat ik heb!' Katherines stem was schril van opwinding. Het klonk alsof ze de inhoud van een complete bos heliumballonnen had opgezogen.

Ze haalde een Humpty Dumpty-kandelaar uit een tas. 'Moet je die gestippelde stropdas zien die hij om heeft, past precies bij zijn hoedje! Niet te geloven, toch?'

Het was extreem moeilijk om in de geest van Larry's filosofie te reageren, want het liefst wilde ik haar vertellen wat een trieste, psychotische freak ze was. Ik keek naar Peter, die glimlachte alsof Katherine op de vlooienmarkt een remedie tegen kanker had gevonden.

'Weet je nog die Larry-website waar we het pas over hadden?' vroeg hij. 'Tijdens onze laatste vergadering hebben een paar collega's gezworen dat ze die misselijke gast te pakken zullen krijgen. Die laatste advertenties gingen echt te ver. Mooie praatjes over arbeiders in Zuidoost-Azië. Die mensen daar zijn blij dat ze een baan *hebben*.'

'Ja, we hebben ze eerst onze Amerikaanse droom aangepraat, en om die te bereiken, moeten ze werken tot ze er dood bij neervallen.' Ik moest hier weg.

Katherine probeerde verschillende hoeken van de keuken, op zoek naar de perfecte plek voor haar nieuwe kandelaar. 'Zoals ik al zei, Peter, het is echt een kwestie van tijd voor ze hem te pakken hebben.'

Met een Humpty Dumpty die in de keuken van plank naar plank sprong, werd alles nog onwerkelijker. 'Je kunt Larry niet de schuld geven,' zei ik. 'Er zijn nu eenmaal heel veel mensen die in *troep* geloven.' Met mijn ogen spijkerde ik Katherine vast aan de voorraadkast. Ze aarzelde even, en verplaatste Humpty toen naar de bar.

Ik trok het oranje zwemvest weer aan over mijn pyjama. Mijn dromen probeerden me iets te vertellen. Ik was *inderdaad* aan het verdrinken.

Van alle mensen die ik kende, stonden Beth en Peter het dichtst bij me, maar het gevoel van vervreemding, afkeer en verraad beklemde me als een bankschroef, zo heftig, dat ik me aan de bank in de woonkamer moest vasthouden om weer lucht te krijgen. Erger dan dit kan het niet worden, dacht ik.

Maar ik zat ernaast.

Toen de bel ging, deed ik de deur open.

Er stond een vrouw van een jaar of zestig voor de deur, met een gebloemde zomerjurk aan. Ik glimlachte naar haar.

'Wat kan ik voor u doen?'

'Ben jij Josh Swensen?' vroeg ze vriendelijk.

'Ja.'

'Je komt me bekend voor.'

Ik zei dat zij mij ook bekend voorkwam. Ik probeerde haar gezicht te plaatsen. Het duurde even voor ik het weer wist. 'Ik heb u een tandenborstel gegeven, bij de Larryfestatie, weet u nog?'

Ze glimlachte, even van haar stuk gebracht. 'Ja, natuurlijk. Hoe gaat het met je?'

'Goed.' Wat deed zij hier?

Plotseling kwam Beth uit de keuken. 'Ik ben teruggekomen om te kijken wat er allemaal aan de hand is. Er staat een cameraploeg buiten.'

De oudere vrouw leverde het antwoord. Ze draaide zich om naar het grasveld. 'Kom maar, jongens!'

De kamer vulde zich plotseling met klikkende fotocamera's en draaiende camcorders. Ik zag een vrachtwagen van het lokale tv-station aan het eind van de straat staan. Alles om mij heen vertraagde alsof we onder water zaten.

'Ik had je ouder geschat,' zei ze. 'Minstens dertig.' Ik kon aan haar gezicht zien dat mijn warrige ochtendhaar en pyjama-zwemvest-combinatie haar goedkeuring niet konden wegdragen.

'Zo, Larry, ga je het nu toegeven?'

'Ik heb geen idee waar u het over hebt.' Ik probeerde de voordeur dicht te doen, maar verschillende verslaggevers en cameramensen stonden al binnen.

'Josh? Waar heeft ze het over?' vroeg Beth. Haar blik viel op mijn hals. 'Hoe kom je aan die ketting?'

Peter en Katherine kwamen de kamer binnen. 'Wat is hier aan de hand?' vroeg Peter.

'Deze jongen hier, deze Josh Swensen, is Larry, van *The Gospel According to Larry*.'

Ik wendde me eerst tot Beth, daarna tot Peter. 'Dat is niet waar. En die ketting, die heb ik al eeuwen. Die heb je al een miljoen keer gezien.'

Peter stak zijn hand uit naar de vrouw. 'Ik denk dat hier sprake is van een misverstand. Ik ben Peter Swensen.'

'Josh? Waar heeft ze het over?' herhaalde Beth.

Hoe vaak ik het ook ontkende, als Omaatje Bemoeizucht haar zin doordreef, dan stonden we straks allemaal in het souterrain. Er stond niets verdachts op mijn harde schijf, maar de mobiele telefoon met Larry's modemverbinding, die lag... midden op mijn bureau. Ze had me volledig, maar dan ook volledig in de tang.

De vrouw schudde Peter de hand. 'Ik ben Tracy Hawthorne,' zei ze. 'Ook bekend als...'

'Betagold,' antwoordde ik.

Beth gilde.

Wat me meer stoorde dan al het andere, was betagolds handcrème. De geur vulde de kamer met herinneringen aan mijn moeder. Het geklik van de camera's vormde de achtergrondmuziek bij het beeld van mijn moeder die op blote voeten en in haar lange Indiase jurk door het huis liep. En uitgerekend deze vrouw, deze betagold, had me op de Larryfestatie een bericht van mijn moeder doorgegeven.

Betagold keek me recht in de ogen. 'Ik had je moeten herkennen op het festival,' zei ze. 'Jij was degene met het T-shirt en de glimlach.'

* Deel vier *

‘Wat heeft een mens eraan de hele wereld te winnen als hij er het leven bij inschiet?

Matteüs 16:26

GOSPEL ACCORDING TO LARRY – JONGEN IN SOUTERRAIN

—San Francisco Examiner

PLAATSELIJKE TIENER BEKENT GOEROE TE ZIJN

—Boston Globe

TIENER HAALT UIT NAAR RECLAMEWERELD

—New York Post

{*}

Ik heb alsnog bewondering voor Alice gekregen, omdat zij gewoon bleef functioneren toen ze door die spiegel was gestapt. Toen betagold ons huis binnenkwam, leek het net of iemand met een ruk de stekker lostrok die het verbindingsstuk vormde tussen mijn leven en iets wat je de realiteit zou kunnen noemen. Die middag is nog altijd een vlek van vage beelden: Beth die maar aan betagolds arm bleef trekken; Peter die probeerde diplomatiek te blijven, ondanks zijn snel stijgende bloeddruk; Katherine die als een kip zonder kop door de kamer fladderde.

En de media, brutaal en opdringerig, bezig om mijn leven voorgoed te veranderen.

Die dag stierf Josh Swensen.

Ik wist het alleen nog niet.

{*}

Ik moet eerlijk bekennen dat mijn ontmaskering ook een aantal voordelen had. De ontmoeting met Bono, natuurlijk, en met veel andere activisten van Amnesty International. We hadden ons met een groepje teruggetrokken in een hotelkamer en spraken over de strategie van de Wereldbank, tot de mediagekte zulke buitensporige vormen begon aan te nemen dat de burgemeester me vriendelijk verzocht te vertrekken. Bovendien was ik van die voortdurend knagende angst af dat ik iets zou zeggen waarmee ik Larry zou verraden. Het was bevrijdend dat ik mezelf voor het eerst sinds maanden niet hoefde te censureren. En ik zou een leugenaar zijn als ik niet zou toegeven dat het in het begin fantastisch was om zo in de belangstelling te staan. Sinds het overlijden van mijn moeder had ik niet meer zo veel positieve aandacht gehad. Dat miljoenen mensen mij waardeerden, bezorgde me net zo'n gelukzalig gevoel als die keer dat mijn moeder mij met haar bulderende lach beloonde toen ik jonglerend door de keuken danste. Kinderen van school belden me op en kwamen langs met honderden uitnodigingen. Deze absurde overkill aan aandacht leidde al snel tot grote artikelen in de *Boston Globe* en de *New York Post*, en zelfs *Larry King Live* kon niet om mij heen.*[49]

Hoezeer ik deze aandacht ook had willen vermijden, ik probeerde er toch maar een positieve draai aan te geven: nu kon ik de boodschap eindelijk verkondigen aan de miljoenen mensen die geen toegang hadden tot internet. Ik probeerde me te concentreren op de positieve kant: Larry's ideeën over anticonsumentisme konden nu een geheel nieuw publiek bereiken.

Maar er was ook een negatief effect, en dat breidde zich uit als de taille van een sumoworstelaar tijdens het trainingsseizoen. De journalisten waren niet geïnteresseerd in het beëindigen van het consumentisme of in ons authentieke zelf. Die wilden alleen maar

*

[49] Je wilt niet weten hoeveel Larry-grappen daarover zijn gemaakt.

weten hoe kwaad mijn stiefvader was toen hij erachter kwam. Ze wilden weten of ik een vriendinnetje had, en hoe moeilijk ik het had gehad na het overlijden van mijn moeder.

Toen ze me vroegen voor het nieuwsprogramma *20/20*, was ik zo naïef om te denken dat dat een geweldige kans was om Larry's boodschap te verkondigen.

Helaas dacht presentatrice Barbara Walters daar heel anders over. Nadat ze me had doorgezaagd over de boxer-of-slip-vraag, besefte ik dat er in het interview weinig ruimte zou zijn voor Larry's filosofie. Tijdens een opnamepauze liep ik even naar de producer van het programma toe.

'Waarom stellen jullie geen vragen over de Larry-clubs die in het hele land zijn opgericht, of over alle activiteiten die mensen organiseren als verzet tegen de grote ondernemingen bij hen in de stad?'

De producer zei dat de kijkers daar niet in geïnteresseerd waren. 'Ze willen alles over jou weten,' zei hij.

'Josh is niet interessant,' antwoordde ik. 'Larry's werk, dat is het verhaal.'

De producer draaide zich om naar zijn collega's. 'Moet je dat horen, een tiener die iemand met bijna vijftig jaar journalistieke ervaring komt vertellen wat het verhaal is.'

Ze lachten allemaal, en hij wendde zich weer tot mij. 'Jij bent het verhaal, alleen jij. De mensen willen roddels, sappige verhalen.'

Barbara glimlachte in de camera, en het interview werd hervat.

Al die uren dat ik aan die preken had zitten schaven, en met die advertenties bezig was geweest, waren weg. Het enige waarin de mensen nog geïnteresseerd waren, was welke cornflakes ik het liefste at.*[50]

Larry was de nieuwe Pokémon, de nieuwste Beanie Baby-knuffel, de nieuwe PlayStation van Sony.

Larry was nu officieel tot product gebombardeerd.

En je weet wat er met producten gebeurt. Die worden geconsumeerd.

*

[50] Ik lust helemaal geen cornflakes.

{*}

Ik probeerde de ironie van de situatie te zien. Maandenlang ben ik in mijn preken tekeergegaan tegen het feit dat mensen smullen van het leven van beroemdheden. Maar sinds betagold me de openbaarheid in had gesleurd, kwam alles wat ik deed diezelfde avond nog in het nieuws of in een roddelblad.

Fuck-you Phillips belde me op vanuit haar auto om me haar hulp aan te bieden, en wilde weten of alles goed met me ging. Haar bezorgdheid ontroerde me, tot ze me vroeg om een foto van ons samen, met handtekening, voor aan haar muur.

Thuis was ik bepaald minder welkom dan vroeger.

Sinds het moment dat betagold mijn geheime identiteit had verraden, had Peters emotie zich ontwikkeld van ongeloof via twijfel tot blinde woede.

'Mijn eigen stiefzoon, die de geest van miljoenen mensen manipuleert!'

'Zo vader zo stiefzoon.'

Gelukkig ging hij daar niet op in. 'Met informatie die je van mij hebt gestolen!'

Wat had ik moeten zeggen? Dat ik nieuwsgierig was, dat die informatie er interessant uitzag? Dat dat het enige was waar ik *echt* spijt van had in deze hele puinhoop?

Hij zag er plotseling uit als een ballon die voor mijn ogen leegliep. 'Ik ben mijn vier grootste klanten kwijtgeraakt. Allemaal vanwege die advertenties. De mensen denken dat ik een verrader ben!'

'Het is nooit mijn bedoeling geweest om je in de problemen te brengen,' zei ik. 'Ik vond alleen dat de mensen recht hadden op die informatie.'

Hoewel hij anders altijd kalm bleef, explodeerde hij nu. 'Wie bescherm je nou eigenlijk? Zelfs de communisten zijn tegenwoordig consumenten!'

Ik had het gevoel dat ik aan de keukenstoel was vastgebonden met de lamp op mijn gezicht gericht, zoals bij een kruisverhoor. Peters mariniersopleiding kwam weer helemaal boven. Hij was wel nooit gevangengenomen en naar een krijgsgevangenenkamp gestuurd, maar dat was hij nu aan het compenseren. *Ik* compenseerde dat voor hem.

Steeds als ik probeerde uit te leggen dat ik alleen maar mijn mening had verkondigd, wat trouwens een grondwettelijk recht is, werd hij nóg kwader.

'Je neemt die uitnodiging van *60 Minutes* aan, en zegt tegen Mike Wallace dat je alles terugneemt.'

'En dat het kopen van troep onze morele plicht is,' vulde ik hem aan.

'Precies.' Hij sloeg zo hard met zijn vuist op tafel dat de peper- en zoutvaatjes als raketten door de keuken vlogen. Hij keek me achterdochtig aan. 'Neem je me nou in de maling?'

'Nee, meneer.'

'Lach jij maar,' zei hij. 'Ik zorg nu al drie jaar voor je, terwijl je echte vader nog geen dag naar je heeft omgekeken.' Hij wist van geen ophouden. 'Hij was ook een echte filosoof. Bedelend in de straten van Cleveland, voor hij zichzelf dooddronk.'

In al die jaren dat ik hem kende, was Peter nog nooit opzettelijk gemeen tegen me geweest. Maar het valse lachje op zijn gezicht verraadde zijn perverse plezier. Toen ik opstond en wilde weglopen, sloeg hij weer op tafel. 'Als jij in dit huis wilt blijven wonen, dan moet je je distantiëren van die preken en stoppen met die onzin.'

Ik haalde diep adem. 'Dat kan ik niet.'

'Waarom niet? Omdat je het wel leuk vindt om beroemd te zijn? En eigenlijk wel geniet van al die aandacht?'

Ik zei dat ik alle aandacht vreselijk vond, dat ik ontzettend veel moeite had gedaan om *niet* in de schijnwerpers te komen. 'Ik kan er niets aan doen dat we in een cultuur leven waarin mensen worden aanbeden enkel en alleen omdat ze beroemd zijn.'

Hij schudde zijn hoofd en probeerde weer kalm te worden. 'Misschien moeten we wel verhuizen,' zei hij. 'Afhankelijk van wat er met mijn andere klanten gaat gebeuren.'

Ik zou werkelijk geen plek kunnen bedenken waar we onze privacy weer terug zouden krijgen. Fiji? Peru?

'Luister,' vervolgde Peter. 'Ik waardeer het dat je een bijdrage wilt leveren aan een betere wereld. Maar of je het gelooft of niet, dat geldt ook voor mij.' Hij hield zich vast aan de rand van de bar.

'Niet om je te beledigen Josh, maar dat idealisme van jou is een fase, net als al die andere waar je doorheen bent gegaan. Zoals dat skydiven, weet je nog? Of die enorme polaroidcamera waar je helemaal bezeten van was?'

Ik zei dat dat niet hetzelfde was.

'Dat zeg je altijd,' zei Peter. 'Je hebt niet genoeg levenservaring. Je weet nog niet hoe de echte wereld in elkaar zit.'

'Dat zeggen volwassenen altijd als ze kinderen de mond willen snoeren,' zei ik. 'Jij hebt ook geen antwoorden, jij moddert ook maar gewoon wat aan, net als iedereen.'

'Nee, dan jij, jij hebt alle antwoorden. Nietwaar, Grote Goeroe?' Hij pakte zijn sleutels en liep naar de deur.

Tot nu toe had ik vooral aandacht gehad voor wat ik had bereikt, maar nu werd ik geconfronteerd met iets wat ik kapot had gemaakt.

Plotseling werd ik overvallen door de herinnering aan Peter die mijn moeder op haar sterfbed beloofde dat hij voor me zou zorgen. En, eerlijk is eerlijk, tot nu toe had hij zich aan die belofte gehouden. Misschien moest ik *60 Minutes* toch maar aangrijpen om me te distantiëren van Larry's werk, en daarmee Peter vrijpleiten.

Maar ik wist dat ik dat niet zou kunnen. Peters overtuigingen waren onlosmakelijk verbonden met zijn persoonlijkheid. Voor mij gold hetzelfde. Het was een impasse waar vaders en zonen zo vaak in zitten. Misschien weken Peter en ik toch niet zo heel erg af van andere gezinnen.*[51]

Ik deed de luxaflex naar beneden, en de fotografen wisten nog net een foto van me te maken. Ik stelde me het resultaat voor in de krant van morgen: een jongen van zeventien achter een gordijn van lichtstrepen, een eeuwige gevangene.

*

[51] Behalve dan dat er bij ons thuis fotografen achter de composthoop verstopt zaten. Daar hadden andere gezinnen geen last van. (Het was nu 30 graden buiten, dus het stonk daar vast ontzettend. Ik zou haast medelijden met ze krijgen.)

{*}

Ach, Beth. Beth. Beth.

Nog maar een paar weken geleden hielden we elkaars hand vast en zongen we over vrede en liefde tijdens de Larryfestatie. Nu, post-betagold, nam ze niet eens de telefoon op. Omdat ze mijn beste vriendin was, hadden de media haar overspoeld, en sommige sensatiekranten hadden haar wel tweehonderdduizend dollar geboden voor een exclusief interview. Daar had ze haar volledige collegegeld van kunnen betalen, en dan nog zou ze geld over hebben gehad, maar gelukkig sloeg ze het aanbod af.*[52]

Het spreekt vanzelf dat Beth het niet op prijs had gesteld dat ze tegelijk met de rest van de wereld achter mijn geheime identiteit was gekomen. De geschokte uitdrukking op haar gezicht op het moment dat betagold me ontmaskerde, blijft me achtervolgen.

Week na week bleven mijn telefoontjes en e-mails onbeantwoord. En als ik bij haar aan de achterdeur kwam, op de hielen gezeten door tientallen paparazzi, sloeg haar vader de deur voor mijn neus dicht met de mededeling dat ze niet thuis was. Ik kon meteen vertrekken bij de doe-het-zelfzaak, ook al was hun omzet door mijn celebrity-status met 200 procent gestegen.

Ik wachtte een zondagmiddag af, want ik wist dat Beth dan de inventaris zou opmaken. Zoals gebruikelijk stond er een bus chloor tussen de achterdeur geklemd, om de zomerse lucht bin-

*

[52] Haar zus Marie nam het helaas niet zo nauw met haar principes. Ze was altijd al een klikspaan geweest, en ze vertelde haar verhaal aan iedere journalist – van krant of tv – die het maar wilde horen. Ik hoorde dat een van de sensatiebladen haar vijftig mille had betaald voor haar verhaal over onze rit naar de Larryfestatie. Ik weigerde het artikel te lezen toen het eenmaal in de kiosken lag, maar ik heb gehoord dat ze van dat korte ritje een sappige anekdote had gemaakt, waarin ook een rol was weggelegd voor wasberen, politiehelikopters en een geschrokken stel uit New Hampshire. Marie heeft altijd al een rijke fantasie gehad.

nen te laten. Ik stond bij de kwasten en kuchte zachtjes, want het was niet mijn bedoeling om haar te besluipen. Toen ze me zag, glimlachte ze.

Ze gooide een klembord naar me toe en schoof een doos sluitringen mijn kant uit. Tijdens het praten telde ik ze.

'Je had het me kunnen vertellen,' zei ze.

Ik zei dat ik op het punt had gestaan om dat te doen, verschillende keren zelfs.

'Van al deze aandacht zou een normaal mens al knettergek worden, maar jij...' Haar stem stierf weg. 'Jij moet je wel heel ellendig voelen.'

'Als ik dit had geweten, had ik het nooit gedaan. Nog in geen duizend jaar.'

Door het tellen werden mijn vingers steeds viezer, en ze begonnen naar metaal te ruiken. De vertrouwde geur was geruststellend. Beth wilde alles weten: hoe ik op het idee was gekomen en hoe ik de site geheim had weten te houden. 'Ik heb nooit enig vermoeden gehad, zelfs niet toen je die Lorax noemde,' zei ze. 'Maar achteraf gezien past dit allemaal zo goed bij jou.' Ze schudde haar hoofd. 'De Tovenaar.'

Daarna begon ze op verwijtende toon over Larry's preek over huichelaars. 'Die heb je erop gezet toen ik jou had laten vallen en met Todd was meegegaan,' zei ze. 'En ik maar denken dat Larry een briljante helderziende was, terwijl hij bij wijze van spreken mijn buurjongen was.'

'Nou ja, Larry moest toch *iemands* buurjongen zijn,' zei ik. 'Hij bofte alleen dat hij bij jou in de buurt woonde.'

Ze glimlachte, een pre-betagold-moment. 'Ik vind het moeilijk om nu nog vrienden te zijn,' zei ze. 'Ik moet eerst even wat afstand nemen.'

Ik zei dat ze alle tijd moest nemen. Ik had nog zoveel meer willen zeggen, maar in plaats daarvan zat ik wat te klooien met de nieuwe potopeners op de onderste plank.

'Je kunt nu maar beter gaan,' zei ze. 'Mijn vader komt zo terug. Hij is hier niet zo blij mee.'

Ik gaf haar de 137 sluitringen.

'Dus we hebben het er nog over?' vroeg ik.

Ze haalde haar schouders op. 'Binnenkort. Misschien.'
Ik knikte en glipte de deur uit.

Ik keek goed om me heen of niemand me zag vertrekken en fietste toen naar het bos. De afgelopen weken was ik daar steeds vaker en langer naartoe gegaan. Als deze gekte niet snel ophield, zou ik daar voorgoed mijn kamp opslaan.

Gezien de omstandigheden was dat helemaal niet zo'n slecht idee.

Je zult het niet geloven, maar binnen twee maanden lagen de eerste boeken in de winkel. Een ondernemende jongen had al mijn preken gedownload en in boekvorm uitgebracht onder de naam *Larry's Bijbel*. Er verschenen twee ongeautoriseerde biografieën: *Josh/Larry – kruis of munt* en *Een messias in de klas*, geschreven door een meisje dat vijf jaar geleden bij me in de klas had gezeten, maar met wie ik nooit een woord had gewisseld. Er waren verschillende kennissen van vroeger die een eigen website waren begonnen. Zo had mijn oppas uit Ohio, waar mijn moeder en ik tot mijn vierde hebben gewoond, een populaire site gelanceerd onder de naam *Van pampers tot profeet: Josh Swensen in zijn jonge jaren*.[*53]

Tot mijn zeer grote teleurstelling moest ik de Larry-website van het net halen. Zelfs met de nieuwste breedbandtechnologie kon de site de nu 255 miljoen hits per dag niet aan. Maar wat nog erger was, niemand wilde nog praten over serieuze kwesties. Waar bezoekers eerder nog vroegen: 'Hoe kunnen we ons leven meer betekenis geven?', was men nu alleen nog maar geïnteresseerd in vragen als: 'Weet iemand waar ik een Larry-T-shirt maat XL kan krijgen?'

Nike, Tommy Hilfiger, Calvin Klein – al die bedrijven die ik in mijn preken scherp had bekritiseerd, kwamen nu bij me met de vraag of ik hun producten wilde aanbevelen.

'Zien jullie hier de ironie nou niet van in?' vroeg ik aan de vrouw die zei dat ze van Coca-Cola was. 'Ik ben degene die zo op jullie heeft afgegeven vanwege jullie opdringerige advertenties, en nu vragen jullie mij om jullie product te promoten? Lekkere filosoof zou ik zijn als ik dat deed.'

Met het woord *filosoof* bracht ik de vrouw bijna in een soort reclamenirwana. Ze sprong door de kamer. 'Dat is het! Het wordt

*

[53] Het enige dat ik me van deze oppas kan herinneren, is dat ze altijd negerzoenen zat te eten op de bank en zat te macrameeën, terwijl ik op de grond tekeningen van Barbapapa en baby Jezus zat te maken...

een zeer frequent uitgezonden commercial met veel snelle shots – MTV, meisjes in korte rokjes – jij loopt over straat ergens in de binnenstad – dreunende hiphopmuziek op de achtergrond – al Coke drinkend te filosoferen – prachtig – over hoe waardeloos Coca-Cola is! Perfect!'

Ik stelde de voor de hand liggende vraag. 'Zullen de mensen het niet raar vinden dat ik een product achterover klok van een bedrijf dat ik al die tijd heb verafschuwd vanwege zijn reclamecampagnes?'

'Maak je je daar zorgen over?' Ze glimlachte naar me alsof ik een peuter was. 'De mensen denken en vinden helemaal *niets*!'

Ik hield de keukendeur open en vroeg haar te vertrekken.

'Tien miljoen dollar.' Ze grijnsde breed. 'En het bureau van je vader krijgt de klus.'

Die reclamemensen weten wel hoe ze je lekker moeten maken. Toen Peter over haar voorstel hoorde, wist hij zich in te houden, maar hij kon het niet laten om te zeggen dat Coca-Cola als klant meer dan een miljard dollar per jaar zou opbrengen.

Ik zei dat ik het begreep, maar dat ik er toch niet op in kon gaan.

Ik ging onder de veranda van de Larsons slapen, zodat ik geen last meer zou hebben van Peter. Ik voelde me net een gup die verstopt zat onder een stuk koraal, in een aquarium vol piranha's.

Binnen afzienbare tijd zou ik in één hap worden opgeslokt.

{*}

De volgende keer dat ik Beth zag, was bij de begraafplaats.*[54] Ze had me gemaild en voorgesteld daar af te spreken om de pers te ontlopen. Ik moest al om zes uur 's morgens het huis verlaten, met een lange blonde pruik op en een jas met franjes aan zodat ik niet herkend zou worden.

Ik dankte de hemel dat ik even met haar alleen kon zijn.*[55]

'Ik wilde je alleen even gedag zeggen,' zei ze.

Toen ik vroeg waar ze naartoe ging, zei ze dat ze de rest van de zomer bij haar tante zou gaan logeren.

'Tante Marge, die bij het strand woont?'

'Nee. Tante Jo in Seattle.'

'Wat?' Alsjeblieft, doe me dit niet aan. Alsjeblieft.

'Het is zo'n idioot jaar geweest. Ik moet gewoon een tijdje alleen zijn.' Ze glimlachte. 'Ik lijk jou wel.'

'Maar daarna zit je op Brown University. Daar kan ik je toch komen opzoeken?'

Ze trok wat dode klimopranken van mijn moeders graf. 'Weet

*

[54] Een toepasselijke plek, want ik zou nu het liefste dood willen zijn.

[55] Ik zal nu maar toegeven dat ik eigenlijk al die tijd had gedagdroomd van het moment waarop Beth zou ontdekken dat ik Larry was. In die fantasie was ze in eerste instantie geschokt, maar uiteindelijk raakte ze gewend aan het idee dat een jongen die ze goed kende, haar grootste idool bleek te zijn. We zaten dan in mijn souterrain en ik liet haar zien hoe ik de website had opgezet, las de e-mails voor die alleen Larry kon openen, en nam de strategie voor toekomstige preken met haar door. In mijn dromen was ze mijn partner, mijn vertrouwelinge, mijn Yoko. Op een keer stelde ik me voor hoe we op een dag als deze samen door het bos zouden wandelen. In mijn droom zaten we onder een esdoorn en kusten elkaar. In één scenario haalde ik het kleed boven mijn ondergrondse kamer weg en bedreven we de liefde op een bed van bladeren, tot de zon achter de horizon verdween. Je zult wel begrijpen dat ik dit filmpje dikwijls in mijn hoofd heb afgespeeld, vooral tijdens de uren dat ik door de gordijnen van de woonkamer stond te gluren en wachtte tot de verslaggevers zouden vertrekken.

je, vriendschap is gebaseerd op eerlijkheid. En zeg nou zelf, wat jij hebt gedaan was één grote leugen.'

Ik probeerde haar op andere gedachten te brengen, smeekte haar en bood haar duizendmaal mijn excuses aan. Maar ze hield voet bij stuk.*[56]

'Je kent me. Hypocrisie is voor mij het ergste dat er is. En de wereld is compleet op hol geslagen door dit gedoe. Betagold verraadt je, en kijk eens wat dat haar oplevert? Een miljoen voor een boek en een tv-special in prime time. Om nog maar te zwijgen van die stomme tandenborstel die mensen tegen betaling mogen bekijken.*[57] Je zou haast denken dat het om de botten van de Heilige Petrus ging.'

'Niemand praat nog over Larry's boodschap,' klaagde ik. 'Dat we onze natuurlijke hulpbronnen verspillen, arbeiders uitbuiten...'

'Je hoeft Larry's filosofie echt niet voor me samen te vatten, hoor,' snauwde Beth. 'Die kan ik dromen.'

'Natuurlijk.'

'Je zult het toch met me eens zijn, Josh, dat je de helft van die preken van mij had? De Wereldbank die derdewereldlanden de nek omdraait? Daar heb ik nog een opstel over geschreven, voor de les van meneer Bartlett. Ik ben blij dat je de boodschap hebt uitgedragen, maar doe nou niet net of jij hier de deskundige bent.'

Ze maakte haar bekende aanhalingstekens bij het woord *deskundige*. Ik voelde dat ik een rood hoofd kreeg en keek naar de grond, en mijn blik viel op haar tatoeage die onder de rand van haar spijkerbroek uit piepte. Onze relatie was de afgelopen maand zo verslechterd dat ik het niet meer in mijn hoofd zou durven halen om hem aan te raken. In plaats daarvan vroeg ik hoe het met Todd was afgelopen.

Ze zuchtte. 'Het was onnozel van me om te denken dat wij sa-

*

[56] Ongelukkig genoeg voor mij was dit altijd haar sterkste eigenschap geweest.

[57] Een geschokte pelgrim had me betagolds brochure gestuurd: 100 dollar om de tandenborstel te mogen zien, 500 dollar om hem vast te houden, en 3000 dollar voor wie er zijn tanden mee wilde poetsen. Eng.

men een relatie hadden kunnen hebben,' zei ze. 'We hadden werkelijk niets met elkaar gemeen.'

'*Wij* hadden wel iets gemeen,' zei ik. 'Waren *wij* maar een stel geweest.'

'Ja, maar daar is het nu te laat voor, denk je niet?'

Ik keek haar verward aan.

'Je wilt me toch niet vertellen dat jij ook met die gedachte hebt gespeeld?'

Toen ze geen antwoord gaf, sprong ik op.

'Doe me dit niet aan! Na alles wat ik heb moeten doormaken, kun je dat niet maken!' schreeuwde ik. 'Bedoel je nou dat jij *ook* wilde dat wij samen zouden zijn? Al die tijd?'

Ze hield haar blik gericht op een stuk mos naast de grafsteen. 'Nou ja, sinds een jaar of drie.'

Ik liep stampend rond over de begraafplaats en bleef maar NEE roepen. 'Zeg dat het niet waar is, dit kan gewoon niet waar zijn...'

Mijn emoties schoten heen en weer tussen woede en hoop, voor zover dat mogelijk is. Misschien viel er nog iets te redden van al die verloren tijd.

Maar mijn droomscenario bevond zich amper in de eerste versnelling toen Beth de rem erop gooide.

'We moeten hier een eind aan maken,' zei ze. 'Trouwens, ik moet hier weg. Ik begon veel te volgzaam te worden, en nam klakkeloos aan wat Larry te vertellen had. Ik denk dat ik beter mijn eigen plan kan trekken en op een ander, persoonlijker niveau mijn bijdrage kan leveren.'

Ze gleed met haar hand over de rand van de grafsteen. 'Dag mevrouw Swensen.' Ze draaide zich om naar mij. 'Dag Josh.'

En met die woorden liep het meisje van wie ik altijd had gehouden, mijn leven uit.

'Je kunt niet zomaar weggaan!' schreeuwde ik. 'We hebben het niet eens geprobeerd!'

'Dag Larry.'

'Ik ben Larry niet, ik ben Josh. *Ik* ben het! Verdomme, blijf nou staan!'

Maar dat deed ze niet.

Wat een ongelofelijke slappeling was ik toch. Niet in staat om ook maar iets van mijn ware gevoelens te laten zien, tot het te laat was. Betagold had gelijk. Ik was een filosoof van niks, een lafaard, een man (nou ja) wiens ideeën niet gebaseerd waren op de realiteit en niet recht uit het hart kwamen. Een stem in mijn binnenste schreeuwde dat ik haar moest tegenhouden. Maar dat deed ik niet.

Ik zakte in elkaar tegen mijn moeders grafsteen, mijn toekomstige verblijfplaats voor de eeuwigheid. 'Mam?'

Ze gaf geen antwoord. Het enige geluid dat ik hoorde was het gebrom van een klein vliegtuig in de verte. Er hing een kleurrijke luchtreclame achter, met daarop de tekst LARRY DRINKT MOUNTAIN DEW.*[58]

Ik draaide me om in het zand en bedekte mijn ogen en oren alsof ik een baby was. Ik was Beth kwijt en had Peter, mijn privacy en mijn roeping kapotgemaakt, en dat allemaal tegelijk. Weinig pluspunten voor Josh de laatste tijd.

Ik bleef naar de bruine aarde kijken tot ik me weer mens voelde. Waar ik tot de volgende ochtend voor nodig had.

*

[58] Het was wel duidelijk dat ze mijn aanbeveling helemaal niet meer *nodig* hadden, ze deden gewoon waar ze zin in hadden.

{*}

Ik zat op de bank mijn derde zak chips weg te kauwen. De leegte die Beth in mijn leven had achtergelaten was zo groot dat er met gemak een vrachtwagen met oplegger doorheen kon rijden. Ik wist dat ik deze leegte nog een hele tijd zou blijven voelen.

Intussen had Peter me gesmeekt of ik een verklaring wilde afleggen dat ik die nepadvertenties zelf had verzonnen, en dat hij er niets van geweten had. Dat deed ik, maar dat veranderde niets aan de negatieve reacties. Hij raakte nog diverse andere klanten kwijt, maar hij weigerde om het bedrijf op de fles te laten gaan. Dat moet ik hem wel nageven: Peter was een prof. Altijd blijven vechten, of strijdend ten onder gaan.

Ik legde het mediacircus zoveel mogelijk vast, door foto's te maken van de verslaggevers die mij fotografeerden. Maar zelfs dat werd ik na een tijdje zat. Zonder baan en zonder Beth kon ik niet veel anders doen dan een beetje rondhangen in kleren die ik al dagen aanhad en voor de tv zitten zappen. Mijn hersenen sudderden als een overgare brij in mijn hoofd.

Een 'deskundige' van het programma *Today*, een Zwitserse psychiater, gaf een interpretatie van een peutertekening. Die kwam me totaal niet bekend voor, maar toch legde de man uit dat Josh/Larry hem in 1987 had geschilderd op peuterspeelzaal Het Rode Treintje. (Een ondernemende leidster had de archieven van de peuterspeelzaal doorzocht in de hoop er wat aan te kunnen verdienen, vermoed ik.)

De psychiater legde uit dat de vogels en de zon op het schilderwerkje erop wezen dat Josh/Larry een gelukkig kind was geweest, maar het scheve raam aan de linkerkant van het huis duidde op een onheilspellende toekomst.

Ik smeet mijn chips op de grond, belde het informatienummer van de stad New York en kreeg het nummer van de studio. Ze namen niet eens de moeite om te checken of ik wel de 'echte' Larry was – kijkcijfers, kijkcijfers – en ik werd meteen doorverbonden. Mijn stem galmde van de telefoon naar de tv. 'Ik heb nooit van die vogels getekend die op een V lijken,' zei ik tegen de psychiater. 'Dat is de luie manier om een vogel te tekenen.'

Op de tv, aan de andere kant van de kamer, schudde de arts zijn hoofd. 'Ontkenning,' zei hij. 'Ik had natuurlijk moeten bedenken dat ontkenning hier een rol speelt, dat blijkt uit de ontbrekende stenen in de schoorsteen.'

Walgend smeet ik de telefoon neer.

Gevangen.

Verveeld.

Onbegrepen.

Overgeanalyseerd.

Gehaat.

Aanbeden.

Zonder vrienden.

En het ergste van alles: nutteloos.

Ik moest hier weg.

Toen Gus, onze postbode, de vijf zakken post van die dag had afgeleverd, trok ik hem mee naar binnen. Ik trok mijn T-shirt uit, schreef mijn naam op een stuk papier en gaf het aan hem.

'Op eBay kun je hier zo driehonderd dollar voor krijgen,' zei ik. 'Als ik je uniform een uur mag lenen.'

Voor Gus vormde dit geen moreel dilemma: hij had zijn jasje sneller uit dan een mens 'pakketpost' kan zeggen.

Ik had zijn pet diep over mijn gezicht getrokken en beende het huis uit, langs alle journalisten die aan het begin van onze oprit stonden.*[59] Ik deed net alsof ik de post bij de Larsons bezorgde en liep toen snel naar de hoofdweg.

Bij de 7-Eleven nam ik de bus naar Chestnut Hill.

Twintig minuten later liet ik me op de cosmetica-afdeling van Bloomingdale's op de stoel vallen. Ik moest opschieten, want zelfs in dit postbode-uniform zou ik snel worden herkend.

'Mam, alles is mislukt,' snikte ik. 'Er is helemaal niets veranderd. En ik dacht nog wel dat ik echt iets *bijdroeg*.' De nieuwe Chanel-dame leek mijn tirade zo eng te vinden dat ze veilig achter de balie bleef staan.

*

[59] Peters advocaten hadden gelukkig beperkende maatregelen getroffen, dus ze mochten niet meer in onze tuin komen.

'Mam, wat moet ik nou doen, zeg iets.'

En ik deed wat ik altijd deed. Ik wachtte.

Er kwamen twee vrouwen aanlopen, beiden met armenvol tassen uit dure winkels.

'Zeg iets tegen me, mam.'

En mijn moeders antwoord klonk luid en duidelijk, via een van deze perfect opgemaakte vrouwen.

'Er zijn momenten dat ik er het liefst een eind aan zou willen maken,' zei de vrouw tegen haar vriendin.

Ik keek naar het plafond. 'Mam?'

De shopaholic stond naast mij en spoot wat parfum op haar pols. 'Ik meen het echt, hoor. Soms is het gewoon de enige oplossing.'

Zelfs het contact met mijn moeder was verbroken.

{*}

Ik mis je, mam, maar niet genoeg om naar je toe te komen. Sorry.

Ik kreeg echter diverse aanwijzingen uit het universum dat ik deze optie toch op zijn minst moest overwegen.

Om te beginnen bladerde ik een oud boek door dat ik van Beth had geleend, eeuwen geleden, toen we nog vrienden waren. De tarotkaart van het geraamte in de boot zat als boekenlegger tussen twee bladzijden gestoken.

Ten tweede kwam ik de foto's die ik op de begraafplaats had genomen overal tegen. In mijn bureaulade, onder mijn bed. Ik liet mijn vinger over de foto's glijden en raakte het glanzende graniet aan alsof ik daadwerkelijk op de begraafplaats stond. Was het een voorteken dat mijn naam op die steen stond? Ik graaide de foto's bij elkaar en stopte ze weg onder in mijn kast.

Ik wachtte af tot de meeste persmuskieten waren gaan lunchen en sprong toen op mijn fiets. Met onbekende bestemming trapte ik als een gek de stad uit, door de regen.

Het kon toch niet de bedoeling zijn dat ik er een eind aan zou maken? De zaken waren zo uit de hand gelopen dat zelfs de vaste communicatieverbinding met mijn moeder was verbroken. De signalen spraken elkaar tegen, want zij zou me nooit zo'n advies geven.

Ik fietste uren achter elkaar door, naar de oceaan, zomaar ergens heen. Om te bewijzen dat het hele zelfmoordidee gestoord was, reed ik naar de Sagamore Bridge. Diverse mensen waren al van deze hoge brug gesprongen, en ik wilde gewoon even naar beneden kijken om mezelf te laten zien dat het een volstrekt onrealistische optie was.

Ondanks de regen en de huilende wind had ik voor het eerst sinds weken een tevreden gevoel. Ik was eindelijk alleen, had iedereen achter me gelaten. Voor iemand die zo op zijn privacy gesteld was als ik, was de hele Larry-gekte erger dan een nachtmerrie. De afzondering, mijn vaste basis en voedingsbron in het leven, was me afgenomen, en als ik me wilde terugtrekken, kon ik alleen nog maar terecht op die veilige, stille plek in mijn binnenste. Zou deze heisa ooit tot bedaren komen? Zou ik mijn leven ooit nog terugkrijgen? Naarmate de dagen verstreken leek het steeds minder waarschijnlijk te worden.

Ik was wel eens eerder over de Sagamore gereden, maar nog nooit op de fiets. De wind raasde door de kabels langs het smalle voetpad. Het spitsuur was al begonnen.*[60] Als ik ooit zelfmoord zou gaan plegen – wat ik niet van plan was – dan zou ik dat op een ander tijdstip moeten doen.

Ik liep met mijn fiets naar het midden van de brug, zette hem tegen een paal en keek omlaag.

Het was een koude en angstaanjagende weg naar beneden.

En ik zou never NOOIT niet, nog in geen MILJOEN jaar, van een brug als deze af springen.

Ergens was ik wel blij, natuurlijk. Ik bedoel, niemand wil toch sterven? Maar de Josh die hier als een razende in de regen naartoe was gefietst, voelde een vage teleurstelling, omdat er weer een optie van het lijstje kon worden geschrapt. Nu ik zelfmoord had uitgesloten, vroeg ik me af hoe ik dan wél uit deze chaos zou kunnen ontsnappen. Toen de schemering inviel, realiseerde ik me dat het allang niet meer regende. Wat ik almaar uit mijn ogen bleef wegvegen, waren tranen.

*

[60] Waarom noemen ze dat eigenlijk spits*uur*? Het duurt toch altijd veel langer dan een uur?

{*}

Het doorslaggevende inzicht kwam de volgende dag al, toen ik op mijn bed Griekse en Latijnse stammen zat te bestuderen.*[61] *Ped* betekent 'voet', en *homo* 'man', om er een paar te 'nomen'. Ik zat met het woordenboek voor mijn neus, en probeerde als tijdverdrijf zoveel mogelijk woorden te vinden met een Griekse of Latijnse stam erin.

Pedaal, genocide, pseudoniem... Ik had er al meer dan tweeënzeventig. Plotseling plakte ik per ongeluk – althans dat dacht ik – twee delen van woorden aan elkaar die samen een niet-bestaand woord leken op te leveren, totdat ik het op internet opzocht.

Pseudo-, 'onecht', en *-cide*, 'moord'. *Pseudocide.* Doen alsof je zelfmoord pleegt.

Ik bleef heel lang naar het woord staren. *Insecticide, suïcide, genocide*, dat waren allemaal woorden die je dagelijks in de krant tegenkwam. Maar *pseudocide...* Ik had deze stammen al zo vaak de revue laten passeren, maar nooit eerder was ik op deze combinatie gekomen. (En dat terwijl ik door mijn *pseudo*niem in deze ellende was terechtgekomen.)

In gedachten ging ik terug naar mijn uitstapje van gisteren naar de Sagamore Bridge. Als ik nou geen zelfmoord zou plegen, maar alleen zou *doen alsof*? Zou de mediagekte dan eindelijk tot bedaren komen? Zou ik na een halfjaar, als de wereld zich op een nieuwe hype had gestort, gewoon weer kunnen opduiken? Daar moest ik goed over nadenken, want deze variant op mijn moeders voorstel zou best eens kunnen werken. Er zat nogal een verschil tussen zelfmoord plegen en doen alsof je zelfmoord pleegt, en mijn leven zou het verschil zijn. Mijn leven terugkrijgen door het op te geven: deze gedachte was nauwelijks gekker dan wat er de afgelopen tijd allemaal was gebeurd.

Pseudocide. Een manier om opnieuw te beginnen als iemand anders, om je schepen achter je te verbranden en een nieuw boot-

*

[61] De school was afgelopen, over een maand zou ik op Princeton beginnen en ik was voor de lol bezig met taalkunde. Wat een nerd.

je te bouwen. Want als Josh *of* Larry bewees ik de wereld bepaald geen dienst op dit moment.

Ik wiste het woord van mijn laptop, want het was een woord dat ik wilde koesteren, een tijdje voor mezelf wilde houden.

Toen ik klein was, was ik gek op *Tom Sawyer*. Het gedeelte over Tom en Huck die hun eigen begrafenis bijwoonden en hoorden hoe iedereen hen ophemelde, en over de verbaasde gezichten van Becky en tante Polly toen de dominee Tom en Huck boven in de gaten kreeg, heb ik talloze keren herlezen.

Doodgaan, maar toch ook weer niet.

Het was echt iets om over na te denken.

Het zou natuurlijk een meerdimensionaal plan moeten worden: want wie *echt* wil doen alsof hij zelfmoord pleegt, heeft een nieuwe identiteit nodig, en een woonplaats, en geld natuurlijk... Ik haalde mijn laptop tevoorschijn en begon aantekeningen te maken. Puur hypothetisch.

Toen het halfdrie in de ochtend was, had ik elf pagina's met ideeën, en drie pagina's met dingen die ik moest uitzoeken. Voor de gein noemde ik het Project Tom Sawyer.

Toen ik naar bed ging, vroeg ik me af of dit weer zo'n typische Josh Swensen-test was, puur om te zien of het plan in theorie uitvoerbaar zou zijn, of dat ik serieus overwoog om het te doen. Over het antwoord hoefde ik niet lang na te denken. Zoals ik *pseudocide* in het online-woordenboek had gevonden, zo waren het ook nu de woorden zelf die me een teken gaven.

De eerste paar bladzijden met aantekeningen begonnen allemaal met *hij* en *iemand*.

De laatste bladzijden begonnen allemaal met *ik*.

* Deel vijf *

'Want ze hadden uit de Schrift nog niet begrepen dat hij uit de dood moest opstaan.'

Johannes 20:9

{*}

De volgende dag sprong ik met hernieuwde energie mijn bed uit. Eindelijk weer een nieuw project waarop ik me kon storten. Waarschijnlijk zou ik het plan nooit ten uitvoer brengen, maar ik moest bekennen dat zo'n lange lijst met obstakels een enorme uitdaging voor me was.

Ik moest denken aan de lijst met vorige levens die Beth en ik op school een keer hadden opgesteld. Niks geen vorig leven deze keer, ik was bezig een toekomstig leven te creëren.

Wat zou nou de beste manier zijn om dood te gaan, puur hypothetisch natuurlijk? Een overdosis drugs? Een straatgevecht? Nee, ik moest een manier verzinnen waar geen lijk aan te pas kwam, want anders zou ik nooit meer terug kunnen komen als de storm ooit weer was gaan liggen. Een vermissing zou ook niet werken, want de media zouden eeuwig naar me blijven zoeken. Iedereen moest denken dat ik echt dood was. Mijn gedachten kwamen steeds weer uit op verdrinken. In zee misschien, maar niet in een meer of een vijver, want daar zouden ze natuurlijk gaan dreggen.*[62] Mijn terugkerende droom, het zwemvest en het geraamte in de boot waren allemaal signalen die op de verdrinkingsdood wezen. Ik zag het als een soort doop.

Uiteindelijk besloot ik mijn instinct te volgen. Waarom zou ik het ingewikkelder maken dan nodig was? En hoe angstaanjagend de Sagamore Bridge ook was geweest, hij voldeed aan alle noodzakelijke voorwaarden. Door de sterke stromingen en de harde wind in het Cape Cod Canal zou een lijk al snel door de Atlantische Oceaan worden verzwolgen. Ik grijnsde als een pasgeboren baby, en ergens was ik dat ook.

Ik zat de hele dag op internet. Ik zocht in telefoonboeken en bekeek reisgidsen. Ik doorzocht nieuwsarchieven. Het was heerlijk om weer eens iets te doen te hebben.

*

[62] Dit hele plan zou volstrekt onmogelijk zijn geweest als mijn moeder er nog was geweest: als het moest, had zij met een koffiekopje de hele oceaan leeggeschept om te bewijzen dat ik nog leefde.

Ik maakte nog een *to do*-lijst: mijn fiets laten registreren bij het politiebureau; bij wijze van nieuwe dagelijkse routine beginnen met lange fietstochten in de vroege ochtend; een nieuwe postbus regelen; haarverf, een schaar en een bril kopen; vakantiebrochures aanvragen van de steden op mijn lijstje; gemeentehuizen benaderen voor geboorteakten; in het geheim wat aandelen uit mijn portefeuille verkopen. En dit alles moest ik voor elkaar zien te krijgen zonder dat de pers er lucht van kreeg – voorwaar een uitdagende opgave.

Mijn bloed kolkte door mijn aderen en het voelde precies als toen ik net met de Larry-site was begonnen: het gevoel van verwachting, mijn enthousiasme. Ik zou als een koorddanser moeten opereren om dit voor elkaar te krijgen, maar dat was nu juist het aantrekkelijke.

Mijn dood werd het toneelstuk*[63] dat ik mijn hele leven lang had gerepeteerd.

*

[63] Een tragedie om precies te zijn, want daarin gaat de hoofdpersoon ook meestal dood.

{*}

Mijn actie zou veel aandacht krijgen in het nieuws – en dan druk ik me nog voorzichtig uit – maar uiteindelijk zou het verhaal in de vergetelheid raken. Met dit plan zou ik Peter natuurlijk kapotmaken, maar ik begon zo langzamerhand te denken dat hij zonder mij toch beter af zou zijn. Misschien zou hij met zijn verdriet het medelijden van zijn klanten opwekken en kon hij zijn bedrijf weer opbouwen. De vorige avond had hij gezegd dat ik aan de keukentafel moest komen zitten, waar hij klaarzat met een stapel glansafdrukken en een viltstift. Hij had gedronken. Hij zei dat zijn collega's hem tijdens de laatste vergadering de hele tijd aan zijn kop hadden zitten zeuren om een handtekening. Niet voor zichzelf natuurlijk, want Larry was de vijand, maar voor hun kinderen. Het was een foto van afgelopen zomer, toen ik bezig was het gras te maaien. Hij duwde de viltstift in mijn hand. 'Dan kan ik deze maand de hypotheek tenminste nog betalen,' zei hij. 'Een profijtelijke profeet.' Hij lachte om zijn eigen grap en morste met zijn whisky.

Ik zette mijn handtekening op de foto's.

Hoewel Beth er de laatste tijd zo ongeveer een dagtaak van had gemaakt om mij te negeren, zou mijn 'dood' bij haar waarschijnlijk ook hard aankomen.*[64] Maar mijn positieve gedachten wonnen het van de negatieve. Ik zou me vele maanden in het bos moeten schuilhouden of het land moeten doorkruisen. Met een bril en een andere haarkleur, en door niet op te vallen, zou ik me ongestoord door het hele land kunnen verplaatsen in een hernieuwde, voor mij zo kostbare afzondering. En dat allemaal om straks weer gewoon Josh te kunnen zijn, hoewel dat technisch gezien natuurlijk niet meer zou kunnen. Op dit moment was alles beter dan Josh *of* Larry te zijn.

*

[64] Hier zat ik wel een beetje mee in mijn maag: ik wilde haar geen pijn doen, maar aan de andere kant ook weer wel. Niet omdat ik wraak wilde nemen, maar omdat ik hoopte dat ze nog steeds om me gaf.

Maar ik was nog steeds niet van plan om het echt te gaan doen, hoor. Ik zag het als een taak waarop ik me kon richten, om mezelf de lege, eenzame zomer door te helpen. Voor de grap prikte ik een dag waarop Peter de stad uit zou zijn. Ik zette een grote D op de kalender in mijn hoofd.

De *D* van D-day.

De *D* van Dood.

{*}

Ik werkte achter elkaar door. Ter ontspanning nam ik slechts af en toe een korte pauze, waarin ik de tekst uit strips weglakte en zelf nieuwe dialogen bedacht. Ik bleef maar malen over de vraag of ik wel of geen afscheidsbriefje zou achterlaten: als ik een briefje achterliet, hoe moest ik dat dan uitleggen als ik weer terugkwam? Dat ik de veertig meter hoge val had overleefd en naar de kant was gezwommen? Niet waarschijnlijk. En trouwens, ook *zonder* briefje konden de mensen toch wel raden waarom ik een einde aan mijn leven zou willen maken? Als ik geen briefje achterliet, moest ik weer andere keuzes maken. Ik zou na een paar maanden naar huis kunnen gaan en zeggen dat ik helemaal niet van die brug was gesprongen, maar dat iemand me van mijn fiets had geslagen en dat ik al die tijd had rondgelopen zonder me te kunnen herinneren wie ik was.[*65] Peter had geen levensverzekering op mij afgesloten, dus ze zouden niemand van fraude kunnen beschuldigen. Gedurende de weken die volgden deed ik wat aandelen van de hand die mijn moeder me had nagelaten. Als ik het een beetje zuinig aan deed, zou ik van de opbrengst maanden kunnen leven.

In mijn nieuwe postbus ontving ik kopieën van drie geboorteakten, van jongens van ongeveer mijn leeftijd die door verschillende oorzaken waren overleden, in steden verspreid over het land.[*66] Met deze geboorteakten kon ik aan de kaartjes met hun burgernummer komen, en met beide identiteitsbewijzen regelde ik drie verschillende rijbewijzen in naburige staten. Zo zou ik wanneer ik maar wilde van identiteit kunnen wisselen.

De 'zelfmoordhandeling' zelf speelde als een film door mijn hoofd. Om mijn plan te kunnen uitvoeren zou ik al mijn acteer-

*

[65] Tegen die tijd zou mijn haar alweer zijn uitgegroeid tot het normale bruin, dus daar zou ik geen lastige vragen over krijgen.

[66] Alle relevante informatie had ik in oude kranten gevonden: de naam van beide ouders, geboortedatum. De meisjesnaam van de moeder was het belangrijkst.

talent uit de kast moeten halen. (Als ik het zou doen, wat niet het geval was.) In mijn hoofd zong ik Larry's woorden als een mantra: WEES DE HELD IN JE EIGEN LEVENSVERHAAL, WEES DE HELD IN JE EIGEN LEVENSVERHAAL.

Het was wel prettig om wat advies te krijgen van iemand die ik kon vertrouwen.

{*}

Ik was meer dan zes weken bezig met het verzamelen van informatie over wat je allemaal nodig hebt als je ertussenuit wilt knijpen, maar was ik wel helemaal eerlijk tegen mezelf? Naarmate D-day dichterbij kwam, moest ik onder ogen zien dat een deel van mij serieus overwoog om dit absurde plan door te zetten. Natuurlijk was ik net als ieder ander dol op een ingewikkelde plot, maar dit ging veel verder dan al mijn andere projecten. Er zat niets anders op: ik moest een *vision quest* gaan doen, een indiaanse overgangsrite in de wildernis.

Ik had mijn hol onder de grond al eerder voor dat doel gebruikt. Toen mijn moeder net was overleden, had ik tegen Peter gezegd dat ik ging kamperen, maar in het echt heb ik een aantal dagen in het bos doorgebracht om te vasten, te bidden en na te denken. Bij de indianen was spirituele transformatie door middel van afzondering een belangrijk ritueel, en ik hoopte destijds dat als het bij hen werkte, ik er ook baat bij zou hebben. Toen ik drie dagen later weer naar buiten kwam, was ik zover dat ik met mijn verdriet kon leven.

Dus nu zat ik weer op mijn heilige plek, waar ik probeerde met mijn pijn en verdriet in het reine te komen. De eerste dag waren mijn gedachten nog bij aardse zaken: wanneer had ik voor het laatst iets gegeten? Hoe lang zat ik hier al? Had het geregend? Op de tweede dag kwam het geklets in mijn hoofd tot bedaren en kon ik me aan de grotere vragen wijden.

Wie was Josh Swensen eigenlijk? En waarom moest hij Larry creëren om zijn mening te verkondigen? Vertrouwde hij niet op zijn eigen stem? Ik besefte dat ik alweer in de derde persoon over mezelf nadacht – waarom eigenlijk? Waarom vond ik het zo moeilijk om mijn 'ik' te omarmen en gewoon Josh te zijn? Had iedereen van mijn leeftijd daar moeite mee?

Ik keek naar de bijna volle maan boven mijn hoofd. Ik zong. Ik bad. Ik rolde me op in mijn deken. Ik wachtte.

In deze nieuwe toestand dacht ik terug aan een kleurboek dat ik van iemand had gekregen toen ik klein was. De afbeelding in mijn hoofd had als bijschrift 'De worsteling in Gethsemane': Jezus bidt in de tuin, met een gezicht dat eenzaamheid, pijn en vertwijfeling uitstraalt. Wat anderen ook mochten beweren, ik had mijzelf nooit als een god gezien, zelfs niet met een kleine g. Maar eenzaamheid, pijn en vertwijfeling? Dat was de spreekwoordelijke spijker op zijn kop, nou ja, in het kruishout in dit geval.

Er flitsten andere platen uit het kleurboek door mijn hoofd: de Kruisiging, de Opstanding. Hoe was het in godsnaam mogelijk dat ik van een kleuter die met een doos kleurpotloden op de keukenvloer lag, was uitgegroeid tot een jongen die in een hol in het bos over zijn eigen dood zat te filosoferen? Had ik iets gemist? Wat dan?

Toen na de tweede nacht de dag aanbrak en het daarna opnieuw nacht werd, herinnerde ik me wat ik had gelezen over indianen die een afzonderingsritueel hadden ondergaan. Ze gingen dood, kwamen krankzinnig terug, gingen gewoon weer naar huis of verdwenen spoorloos. Dat waren de enige opties.

Op de middag van de vierde dag kroop ik uit mijn kuil, ik knipperde tegen het zonlicht en wist welke optie ik moest kiezen.

{*}

Op de vastgestelde dag sprong ik na een rusteloze nacht uit bed, niet uitgeslapen, maar vol verwachtingsvolle spanning. Ik douchte, kleedde me snel aan en keek mijn kamer rond of ik niets had vergeten. Ik zei mijn drieënzestig bezittingen gedag. (De andere twaalf had ik bij me.) Ik liep door het huis langs de Paisley-stoel waar mijn moeder altijd in had zitten lezen, langs de Humpty Dumpty-kandelaar die Katherine op slinkse wijze op onze bar had neergezet en langs Peters stapel met tijdschriften, waaronder *Fortune* en *Business Week*. Ik besefte dat ik toch wel veel met hem gemeen had: altijd blijven proberen, of strijdend ten onder gaan.

Natuurlijk overwoog ik om het hele plan af te blazen, dat geef ik eerlijk toe, maar die gedachte kwam en ging als elke andere gedachte. Ik trok de capuchon van mijn sweater over mijn vers geknipte en geverfde haar, pakte mijn spullen en vertrok.

Niemand in de buurt heeft me zien vertrekken: het was halfdrie 's nachts, en meneer Munroe, die altijd als eerste het drukke leven tegemoet ging, vertrok zelden voor zes uur. Ik liep heel rustig, bijna in slow motion.

Als mijn moeder me vroeger in Ohio in mijn wagentje door de buurt trok, zongen we altijd: 'Hallo stoplicht. Hallo Duitse herder.' Soms bleef ze even staan, en draaide zich dan lachend om met haar handen in haar zij. 'Hallo lieve Joshy.' Nu deed ik hetzelfde spelletje in een vreemde, omgekeerde nachtelijke variant. 'Dag brievenbus. Dag hek. Dag Josh Swensen.'

Tijdens de lange rit naar de brug kwam ik niet veel auto's tegen. Aan de voet van de brug stond een bord van The Samaritans, een organisatie die mensen in geestelijke nood opriep om hulp te zoeken. Het was nog steeds niet te laat om van gedachten te veranderen. Maar ik hield voet bij stuk.

Om de zoveel meter tilde ik mijn fiets even op om door het raster naar het ruwe water onder me te kijken. Als ik mezelf echt van kant wilde maken, zou dit wel een heel dappere manier zijn.

Ongeveer halverwege de brug zette ik mijn fiets tegen een van de grijze liggers. Ik keek zorgvuldig om me heen om er zeker van te zijn dat er niemand over de brug reed of jogde, deed toen mijn sneakers en sweater uit en gooide die in het water. Snel als de wind trok ik mijn spijkerbroek uit, Josh' spijkerbroek, Larry's spijkerbroek, en propte die in mijn tas. Ik stond nu in mijn hardloopbroekje. Ik zette mijn nieuwe bril op, deed mijn hardloopschoenen aan en wachtte tot de eerstvolgende auto voorbijkwam. Ik moest bijna overgeven. Dat het zweet over mijn rug liep, was mooi meegenomen en maakte mijn hardloopvermomming alleen maar geloofwaardiger.

Even later kwam er een Volvo mijn kant op, gevolgd door een stationcar. Halfgek van angst gebaarde ik dat ze moesten stoppen.

'Er is iemand naar beneden gesprongen! Ik rende net over de brug en heb nog geprobeerd om die jongen tegen te houden, maar hij wilde niet luisteren!'

De man in de Volvo stapte uit en keek naar de fiets die tegen de zijkant van de brug stond. 'Was het een jongen?'

'Een jaar of achttien of zo. Toen ik dichterbij kwam, sprong hij.'

De man pakte zijn mobiele telefoon uit de auto en belde 911. Het stel dat bij de stationcar hoorde, kwam dichterbij. 'Wat is er gebeurd?' vroeg de vrouw.

'Er is een jongen van de brug gesprongen, de stomkop!' Ik liep nerveus – en dat was niet gespeeld – heen en weer van de een naar de ander. 'Ik kan hier niet tegen. Ik moet hier weg.'

'Je moet toch op zijn minst aan de politie vertellen wat je gezien hebt,' zei de man van de Volvo. Hij liep naar de fiets toe, maar zorgde ervoor dat hij niets aanraakte. Dat is het voordeel van al die politieseries: iedereen die wel eens tv kijkt, weet hoe je je moet gedragen op een plaats delict. 'Zo te zien staat deze fiets geregistreerd, dus misschien kan de politie achterhalen van wie hij is.'

Er stopten steeds meer auto's, en ik werd overvallen door een vlaag van paniek, bang dat iemand me ondanks mijn vermomming zou herkennen. Een man in een pick-up toeterde in de duisternis. De vrouw van de stationcar keek naar me. 'Wat traumatisch voor je, loop je lekker te rennen en dan maakt iemand er vlak voor je neus een eind aan.'

Ik wist wel dat dit onderdeel van het plan veel van me zou vragen, maar ik had me niet gerealiseerd dat mijn zenuwen ook een fysieke uitwerking zouden hebben. Ik rende naar de leuning van de brug, en mijn avondeten van gisteren vloog mijn schoenen en sweater achterna.

De vrouw gaf me een prop zakdoekjes uit haar tas. 'Je kunt maar beter gaan,' zei ze. 'Je bent zelf nog maar een jongen.'

Ik pakte mijn rugzak, net op tijd, want ik zag twee politieauto's, die zich over de brug een weg baanden langs de auto's. De man van de Volvo liep naar de agent die achter het stuur van de eerste auto zat. Hij wees naar mij.

'Die knul daar was aan het hardlopen, en zag toen een jongen van zijn fiets stappen en van de brug springen.'

De agent keek naar mij alsof hij bevestiging zocht voor het verhaal. Ik duwde mijn bril omhoog en knikte. 'Ik ben zo hard mogelijk naar hem toe gerend, maar het was al te laat.'

De Volvo-man leidde de twee agenten naar de fiets. 'Zo te zien heeft die jongen zijn fiets laten registreren.'

De agent draaide zich om naar mij. 'Kun je hem beschrijven?'

'Grijze sweater, capuchon strak over zijn hoofd getrokken, spijkerbroek, sneakers. Ongeveer even lang als u.' Ik wilde iedere vergelijking met mijzelf vermijden.

'Hoe heet je?'

'Gil Jackson. Ik ben hier een weekje aan het kamperen.' Niet te behulpzaam, dacht ik. Als hij iets wil weten, vraagt hij het wel.

Hij liep naar de man van de Volvo en de mensen van de stationcar. Ik zag dat er een klein stukje van Josh zijn spijkerbroek uit mijn tas piepte. Heel nonchalant deed ik de rits dicht en wachtte tot de agent klaar was.

Plotseling kwam er een vrachtwagen van het lokale tv-station de brug op rijden. Steeds meer mensen stapten uit, en er klonk steeds meer getoeter. Ik vroeg aan de agent of ik kon gaan.

'Ik moet wel een nummer hebben waar ik je kan bereiken, mocht dat nodig zijn.'

'Ik vertrek vanavond naar L.A. Als u me uw kaartje geeft, dan bel ik u zodra ik op mijn bestemming ben.'

De rechercheur keek me lang aan en gaf me toen zijn kaartje. Hij schreef het nummer van de Volvo-man op.

Er kwam een vrouw op ons af gerend, gevolgd door een cameraman. Elke verslaggever zou me zo kunnen herkennen, vermomd of niet.

'Ik geloof dat ik weer moet overgeven.' Ik liep naar de brugleuning, en hoorde hoe de agenten met de verslaggevers stonden te praten. Er stonden nu wel twintig mensen over de rand te turen, alsof het lichaam – mijn lichaam – elk moment weer boven water zou kunnen komen. Excuses mompelend baande ik me een weg door de menigte, weg van de plek des onheils.

'Hé, wat is er aan de hand daar?' vroeg een man vanuit zijn Kever.

'Er is iemand naar beneden gesprongen.'

'Dat meen je niet!' Hij draaide zich om naar de vrouw naast hem. 'Annie, ga snel kijken!'

De vrouw schoot met haar videocamera de auto uit, en voegde zich bij het circus.

Ik wierp een blik op de menigte, de politie, mijn fiets. Zoals altijd was het een intuïtieve beslissing.

Ik keek niet meer achterom.

* Deel zes *

'... vonden ze zijn lichaam daar niet en ze kwamen zeggen dat er engelen aan hen waren verschenen. De engelen zeiden dat hij leeft. [...]
Nu werden hun ogen geopend en herkenden ze hem. Maar hij werd onttrokken aan hun blik.'

Lucas 24:23, 31

{*}

Een van de voordelen van dicht bij een grote stad wonen is dat je je kunt verbergen terwijl je overal dichtbij zit en anoniem kunt blijven. Ik nam een kamer in het Shady Time Motel in een voorstad ten noorden van Boston, om het tumult rond de zelfmoord van Josh/ Larry te kunnen volgen. De geregistreerde fiets en het ooggetuigenverslag van Gil zouden de voornaamste aanknopingspunten voor identificatie zijn. De fiets zou dagen speurwerk besparen, wat goed was voor Peters gemoedsrust – en ook voor die van mij, trouwens. Halverwege de ochtend had de politie Peter in Chicago weten op te sporen. Hij nam de eerstvolgende vlucht naar huis en was om zes uur terug in Boston.

Zelfs de opdringerige tv-verslaggevers slaagden er niet in om Peter te filmen tijdens zijn meest intieme momenten. (Niet dat ze het niet probeerden, natuurlijk.) Ik stelde me de situatie voor alsof het een filmscène was: Peter die op mijn bed zat, met zijn hoofd in zijn handen, en zichzelf verwijten maakte; zijn *waarom?* echode als een pistoolschot door de kamer. Katherine, die voorzichtig haar ogen depte zodat haar mascara niet uitliep en zei dat hij dit nooit had kunnen zien aankomen. Door deze melodramatische beelden had ik een paar keer bijna de telefoon gepakt. Maar ik hield mezelf voor dat de situatie tijdelijk was, dat het gewoon een kwestie van volhouden was.

De lokale tv-programma's werden onderbroken voor het nieuws over de ijzingwekkende details van mijn dood. Naast onze lege school stond een verslaggever eindeloos over mijn leven te zeuren.[*67] Hij had verschillende scholieren en docenten om zich heen verzameld, zodat die ook hun vijftien minuten van roem zouden hebben. Mevrouw Phillips vertelde over mijn vervroegde toelating tot Princeton, en meneer Gibbons had het over mijn talent voor natuurkunde en fotografie. Debbie Holden, die me altijd compleet

*

[67] Hij had zelfs het lef om Larry's woorden te gebruiken: 'Zo jammer. Zo zonde. Het was zo'n aardige jongen.'

had genegeerd, stond zo hard te huilen voor de camera dat ze moesten overschakelen naar de parkeerplaats, zodat de verslaggever zijn verhaal kon afmaken. CNN bracht live verslag uit van de zoekacties in het kanaal: de trawlers van de kustwacht en de menigte op de brug. Ze vonden één sneaker terug, die Peter kon identificeren als de mijne.*[68] Ik kreeg er de rillingen van. Toen ik in de spiegel een glimp van mezelf opving, maakte ik van schrik een sprongetje: door mijn korte blonde haar leek het net of er plotseling iemand anders in de kamer zat. Misschien was dat ook wel zo.

Ik probeerde betagold niet te haten, probeerde te luisteren naar de Larry in mij en begrip op te brengen voor haar standpunt. Ze hield een persconferentie waarin ze zei dat mijn zelfmoord niet haar schuld was en dat Larry van de mensen was, of hij nu dood was of leefde. Het speet haar voor de familie van Josh en voor de fans van Larry, maar ze had het als haar 'plicht en lot' gezien om Larry's identiteit openbaar te maken.*[69]

Gedurende de daaropvolgende dagen at ik kant-en-klare salades en ijswafels en keek ik non-stop naar CNN. Niet alleen vanwege mijn wat-zullen-ze-over-me-zeggen-als-ik-dood-ben-nieuwsgierigheid, al speelde die wel een rol. Ik wilde er vooral zeker van zijn dat er geen enkele twijfel bestond over mijn zelfmoord. Als de recherche de zaak verdacht vond, of als Peter weigerde het bewijsmateriaal te geloven, dus als ze de zaak openhielden, dan zou mijn plan totaal mislukt zijn.*[70]

*

[68] De foto van die verlaten schoen kwam op internet terecht en kreeg uiteindelijk een plek op 16 miljoen T-shirts. De sneaker zelf eindigde in een glazen vitrine in het Ripley's Believe It or Not Museum.

[69] Sterker nog, ze zei: 'Larry ontmaskeren was mijn geschenk aan de kosmos.' Doe even normaal!

[70] Mijn grootste angst was dat de rechercheurs zelfmoord zouden uitsluiten en er een wereldwijde Larry-heksenjacht zou losbarsten. Net als bij Elvis zouden de mensen zelfs van mijn dood nog een feestje maken. Het was een terugkerende nachtmerrie, waaruit ik vele malen zwetend wakker schrok.

MAAR als iedereen ervan overtuigd was dat Josh/Larry dood was, dus als niemand iets vermoedde en ze een herdenkingsdienst zouden organiseren, dan zou ik over zes maanden weer kunnen opduiken met mijn alibi en weer Josh kunnen worden. Ik repeteerde mijn verhaal regelmatig, om ervoor te zorgen dat het echt geloofwaardig klonk: ik werd besprongen door een vent, die me van mijn fiets trok en wegreed. Ik heb over Cape Cod rondgedwaald tot ik uiteindelijk een lift van iemand kreeg. In zijn auto ben ik bewusteloos geraakt, en toen ik bij hem thuis in Connecticut weer bijkwam, wist ik niet meer wie ik was. Na een paar dagen ben ik daar weggegaan en heb ik rondgezworven tot mijn geheugen langzaam weer terugkwam. Op dat moment zou ik stilletjes opduiken bij Peter, of misschien ergens anders. Daar twijfelde ik nog over.

De rechercheurs controleerden alle vluchten en treinen naar L.A. om Gil Jackson nogmaals te kunnen ondervragen. Als onderdeel van mijn plan had ik op naam van Gil een treinkaartje gekocht zonder gereserveerde plaats, dus niemand wist of ik daar ook echt gebruik van had gemaakt. Ze deden herhaalde oproepen via de radiostations van L.A., en vroegen of Gil zich wilde melden om nog wat vragen te beantwoorden. Op basis van Peters getuigenverklaring over mijn fietstochten naar de Cape, en over hoe ongelukkig ik was geweest, werd de zoektocht naar Gil ten slotte gestaakt. Het personage dat Josh als laatste in leven had gezien, was net zo fictief als Larry zelf.

Mijn laptop en fotocamera had ik bewust thuisgelaten, om de volgende reden: als de politie zou denken dat deze hele 'zelfmoord' een vooropgezette actie was, dan zou Peter getuigen dat het volstrekt onwaarschijnlijk was dat ik die dan niet zou hebben meegenomen. Ik zag een fragment op het nieuws van zes uur waarin Peter de verslaggevers vertelde dat ik nog niet eens ging ontbijten zonder mijn camera en laptop, laat staan van huis weglopen. Er was één ijverige rechercheur die erachter was gekomen dat ik de afgelopen maanden wat aandelen had verkocht. Een stroom van speculaties dat ik er met het geld vandoor was gegaan, was het gevolg. Omdat ik dit wel had verwacht, had ik verschillende brieven van het Rode Kruis, het Kankerfonds en andere liefdadigheidsinstellingen laten rondslingeren, waarin ze mij bedankten voor mijn recente donatie. (De meeste brieven had ik zelf geschreven. Sommige giften waren natuurlijk echt, maar ik had ook een paar keer een database van zo'n organisatie gehackt, waardoor ik filantropischer overkwam dan ik feitelijk was.) Josh werd dus eindelijk met rust gelaten en kreeg het officiële stempel 'zelfmoord'. Peter had de afscheidsdienst meteen voor de volgende dag gepland.

Ik zat op de oranje bedsprei in het motel en zette de tv aan. Toen ik de mensen in kilometerslange rijen zag wachten, dacht ik even dat de paus net vermoord was. Tot mijn afschuw had iedereen zich verzameld bij de ingang van de begraafplaats waar mijn moeder lag. Nadat verschillende docenten en 'vrienden' me de hemel in hadden geprezen, zag ik tot mijn schrik dat Beth het podium op stapte. Ze was volgens plan van Seattle naar Providence verhuisd, waar ze aan haar eerste jaar aan Brown University was begonnen. Ik voelde me schuldig dat ik haar dit aandeed, zo aan het begin van het studiejaar. Maar ze sprak vol zelfvertrouwen in de microfoon, en haar gezicht vulde de vele gigantische beeldschermen achter mijn lege kist.

'Josh Swensen had maar één reden om Larry te worden: hij wilde bijdragen aan een betere wereld. Hij geloofde dat wij mensen een bedreigde soort waren, en dat wijzelf de roofdieren waren die ons naar de ondergang zouden leiden. Als een laserstraal richtte zijn geest zich maar op één ding: de antwoorden in onszelf te zoeken in plaats van daarbuiten. Hij had op veel punten het gelijk aan zijn kant. Ik wou dat hij ongelijk had gehad toen hij sprak over onze honger naar nieuws en sensatie. Ik wou dat hij het mis had, toen hij het had over hoe ver we bereid zijn te gaan om onszelf te vermaken. Dit circus hier zou hij verschrikkelijk hebben gevonden. Josh was een jongen die graag in zijn hangmat schommelde, die Monty Pythons Silly Walk-sketch uit zijn hoofd kende, en die maar één ding van zichzelf eiste: dat hij de wereld zou veranderen. We hebben een heel bijzonder mens verloren, maar we gaan allemaal zo op in het spektakel eromheen, dat we het niet eens in de gaten hebben.'

Ze verliet het podium en verdween in de massa.

Ik ijsbeerde paniekerig door de kamer. Beth! Zo welbespraakt, zo krachtig! Het liefst was ik naar de begraafplaats geracet en boven op haar gesprongen, net als vroeger. Het enige dat deze gedwongen verbanning nog enigszins dragelijk maakte, was de gedachte dat ik haar over een paar maanden weer zou zien. Als ik het nou maar zou volhouden tot dat moment, dan zou ze vast wel weer vrienden willen zijn. Ik zou er nu zelfs voor getekend hebben om nog één keer op het trapje bij haar voordeur te kunnen zitten, met uitzicht op de flikkerende kerstverlichting van de Petersons.

Maar mijn blije dagdroom over een nieuw leven met Beth vervloog snel toen ik op de reusachtige tv-schermen beelden van Peter te zien kreeg. Hij duwde de doodgravers opzij, en gooide de aarde zelf schep na schep in mijn graf. Ik barstte in tranen uit, vol diep berouw vanwege zijn pijn en het leed dat ik hem had aangedaan. Zijn bewegingen herinnerden me aan alle uren die ik had besteed aan het graven van mijn hol in het bos, en plotseling leken we toch niet zulke sterke tegenpolen. Mijn wroeging lag als een muffe deken over de kamer.

Ik was niet gelukkig met de situatie, maar ik kon nu niet meer terug. Ik zou de volgende dag vertrekken, een tijdje naar het westen reizen en intussen doen wat alle pelgrims doen.

Wachten op een teken.

{*}

Slechts weinig mensen krijgen de kans hun eigen graf te bezoeken, dus het leek me zonde om geen gebruik te maken van deze ongebruikelijke gang van zaken. Ik wilde de mogelijkheid om bij mijn graf te rouwen niet voorbij laten gaan. Mijn geverfde haar, muts en bril waren onmisbaar, want bij de poort en rond mijn grafsteen zwierven nog honderden mensen rond. Toen ik eindelijk wat dichter bij de steen kon komen, werd het beeld dat al maanden door mijn hoofd rondspookte realiteit: JOSHUA SWENSEN 1983-2001. De letters en cijfers stonden diep in het graniet gegraveerd, en ze pasten perfect bij het grafschrift van mijn moeder. Al die mensen hier, die bloemen en kaarten hadden meegebracht en nu op het gras zaten te zingen en te bidden, hadden mijn moeder geen van allen gekend, en *mij* kenden ze ook niet. Hadden ze verder dan niemand om van te houden? Als Larry hier was, zou hij er vast en zeker een preek over hebben geschreven.

Ik was benieuwd of mijn moeder nu toekeek. Ik probeerde haar energie op te pikken, maar voelde niets. Ik zat tegen een hoge esdoorn geleund, die al veel van zijn bladeren had verloren. Als je doet alsof je doodgaat, dan mis je de sensatie dat je leven heel snel aan je voorbijflitst. Nu dreven de beelden voorbij: mijn moeder die mijn schommel duwt in de oude speeltuin bij ons in de buurt, die in de zomer limonade en gelukskoekjes verkoopt voor ons huis; mijn moeder die Peter meeneemt naar mijn schermlessen voor onze eerste ontmoeting; Beth die een uitbrander krijgt als ze tijdens maatschappijleer een nummer van *Mad Magazine* naar me toe schuift; mijn moeder en Peter die elkaar het jawoord geven op het strand in Jamaica; Beth die mijn hand vastpakt tijdens de nieuwe versie van *The Exorcist* en hem pas op de parkeerplaats weer loslaat; mijn moeder die na haar chemokuren te zwak is om het portier van de auto open te doen. Beelden, herinneringen, gedachten: eigenlijk waren dat de enige echte bezittingen van een mens.

Ik moest nog één ding doen voor ik de stad zou verlaten. Het was riskant, maar het moest gebeuren. Ik liep kilometers lang over achterafwegen, tot ik de straat achter Beths huis bereikte. Onder bescherming van de schemering piepte ik de tuin van de Hamlins in; ik verschool me achter hun enorme rododendron en wachtte af. Na een uur of wat kwam Beth naar buiten en ging, zoals zo vaak, op het trapje voor haar huis zitten. Ze had een korte broek aan en haar shirt van de doe-het-zelfzaak. Op het linkerborstzakje stond 'Beth' geborduurd.*[71] Zou ze me missen? Of had ze me maanden geleden al uit haar gedachten verbannen? Vanaf de overkant van de straat keken we in stilte naar de tuinsproeier van de Petersons. Alles wat ze had meegemaakt, stond op haar gezicht te lezen: ze leek volwassener en vastberadener. Ik hield meer van haar dan ooit tevoren.

Na een tijdje ging ze naar binnen. Ik kwam uit mijn schuilplaats tevoorschijn*[72] en ging terug naar het motel. Morgen zou ik als Thomas Patton, nóg een alter ego van Josh, een ticket naar Santa Fe boeken.

Was dit het waard? Als ik weer helemaal opnieuw met Larry zou moeten beginnen, zou ik dat dan doen? Deze vragen had ik mezelf herhaaldelijk gesteld, maar ik twijfelde nog steeds over de antwoorden. Maar was al dit gedoe het waard om mezelf te verliezen, ook al was het maar tijdelijk? Ik dacht van wel. Natuurlijk had ik fouten gemaakt: ik had meer om mijn boodschap gegeven dan om de mensen om mij heen. De volgende keer moest ik een betere balans zien te vinden.

Er vielen nog andere lessen te trekken; ik wist alleen nog niet welke.

Ik haalde iets te eten bij de Chinees en ging in het park vlak bij het motel zitten.

Tot ziens, Massachusetts.

Tom gaat ervantussen.

*

[71] Ik had mijn eigen shirt graag willen meenemen, maar je kunt moeilijk incognito rondreizen met een T-shirt aan waar *Josh* op staat.

[72] Buut Larry, kom maar tevoorschijn. Zo was het toch, betagold?

{*}

Voordat ik de volgende dag de stad verliet, ging ik in een buitenwijk nog even bij een kleine internetwinkel langs om op internet te kijken.*[73]

Dat had ik niet moeten doen.

ABSOLUUT niet.

Ik ging naar de website van de *Boston Globe* voor het laatste nieuws. De grote krantenkop greep me bij mijn shirt en smeet me door de ruimte.

VADERSCHAPSACTIE TEGEN DODE FILOSOOF.

Ik klikte op het artikel, want misschien ging het wel over de filosoof Kierkegaard.

Maar het ging natuurlijk over Josh Swensen, bla, bla, bla.

Een meisje uit Idaho (waar ik nog nooit ben geweest)...

Claimt seks te hebben gehad (TERWIJL IK HET NOG NOOIT HEB GEDAAN!)...

Achter in een Toyota pick-up (waarin ik nog nooit heb gereden).

Kun je een dode zwartmaken?

Kun je iemand die DOET ALSOF hij dood is, zwartmaken? Elke vezel in mijn lichaam hoopte dat dit een opzichzelfstaand incident was.

Maar dat was het niet.

*

[73] Het was immers alweer een week geleden. Het mocht wel weer eens, vond ik.

{*}

Ik sliep bijna iedere nacht in mijn hol in het bos en waagde me 's morgens vroeg op straat om naar de kiosken te gaan.

Ik was nog in leven, maar geloof me, ik zou nu echt het liefste dood zijn.

Ik had gedacht dat het niet *nog* erger kon worden, maar ik had het mis.

Er meldden zich zestien mannen die zeiden dat ze mijn echte vader waren. Met belangstelling las ik hun profiel, maar geen van de feiten kwam overeen met mijn arme, oude, dode, alcoholistische vader.

Daarna verschenen er ineens allemaal complottheorieën. Larry was een van de meesterbreinen achter de bomaanslag in Oklahoma in 1995.[*74] Larry had kindsterretjes in Hollywood gestalkt. Ik lachte (hysterisch) bij de eerste zoveel theorieën, maar na een tijdje bezweek mijn laatste restje levenslust onder het gewicht van alle leugens. Ik was preken gaan schrijven over het vergiftigende effect van het verheerlijken van beroemdheden. Zelfs in mijn bangste dromen had ik niet kunnen voorspellen dat de werkelijkheid nog duizendmaal erger zou zijn. Ik had anderen willen waarschuwen. Had ik mezelf maar gewaarschuwd.

Was ik hiervoor al gedeprimeerd, nu verkeerde ik in diepe wanhoop. Toen ik besefte dat er nooit meer een weg terug zou zijn, wilde ik er *echt* een eind aan maken. Zelfs als ik zou worden vrijgesproken van alle misdrijven waarvan ik werd beschuldigd, dan nog zou ik de rest van mijn leven in de rechtbank moeten doorbrengen, of – erger nog – voor een tv-camera. Moest ik het risico nemen dat ik nooit meer zou kunnen genieten van deze heerlijke afzondering? Nooit van mijn leven.

Als ik heel eerlijk was, en dat probeerde ik de laatste tijd steeds vaker te zijn, dan wist ik diep in mijn hart wel dat er altijd een kans was geweest dat ik nooit meer terug zou gaan. Ieder ander die er

*

[74] Niemand scheen ermee te zitten dat ik toen nog maar elf was.

zo'n bende van had gemaakt als ik, zou een gat in de lucht springen als hij de kans kreeg om een compleet nieuwe start te maken. Het leek erop dat het universum me nu de gelegenheid bood om juist dát te doen.

Dus zwierf ik van stad naar stad, verfde mijn haar van blond naar rood naar zwart en zette om de zoveel dagen een nieuwe bril en een andere muts op. Dit is je nieuwe leven, zei ik tegen mezelf in een spiegel bij Texaco.

Wen er maar aan.

{*}

Ik articuleerde keer op keer het woord limbus: L-I-M-B-U-S. Het mistige gebied tussen twee werelden, het voorgeborchte tussen hemel en hel. Mijn nieuwe thuis.

Iedere kans om ooit nog naar mijn 'normale' leven terug te keren was nu onherroepelijk verkeken. Mijn 'geheugenverlies', Princeton, het gezicht van Peter als ik op een dag de keuken in kwam lopen – een gepasseerd station. Ik had een nieuwe roeping: spiritueel zwerver, nooit lang genoeg op dezelfde plek om contact te leggen. Ik had een transformatie ondergaan van sukkel naar godheid, en vandaar naar een soort Harrison Ford in *The Fugitive*. Wie had dit ooit kunnen bedenken?

Of had ik wel een andere keus?

Ik was in deze chaos terechtgekomen doordat ik me had verstopt achter de valse identiteit van Larry. Was me verschuilen achter Gil en Tom dan wel de oplossing? Een stemmetje in mijn binnenste zei van niet. Misschien was het moment aangebroken om de gevolgen onder ogen te zien, hoe pijnlijk die ook zouden zijn. Misschien was het tijd om *mijn* kant van het verhaal te vertellen. Ik zou natuurlijk met een nieuwe anonieme website kunnen beginnen, maar bleef ik dan niet om de hete brij heen draaien? Ik moest terug naar de basis, dus kocht ik een oude typemachine en een pak papier. Geen hip logo, gewoon simpel, net als een eindwerkstuk: de scriptie van mijn leven. Weken achter elkaar werkte ik eraan. Ik stortte Larry's verhaal, nee, mijn verhaal, uit over de bladzijden en hoopte dat ik iemand zou kunnen vinden die het wilde publiceren zonder alle Larry-gekte.

Ik bracht dagen in de bibliotheek door om informatie te verzamelen over plaatselijke schrijvers, dj's of andere mensen die misschien mijn kant van het verhaal zouden willen aanhoren. Ik maakte een lijst van mogelijke kandidaten, en bad dat iemand me zou willen helpen om dit te publiceren. Geen schietgebedje aan Larry, maar gewoon een ouderwets is-daar-iemand-gebed.

Natuurlijk is daar iemand.

Ik ben het.

{*}

Vandaag ben ik vroeg opgestaan en heb ik van iemand een lift gekregen over Route 2. Ik was klaar met het manuscript en had zin om dat te vieren. Bovendien bedacht ik me dat ik nog nooit naar Walden Pond was geweest. Zo laat in de herfst zouden maar weinig mensen het ijskoude water durven trotseren. Ik bleef een beetje bij de andere Natuurliefhebbers uit de buurt en keek toe. Na een tijdje nam ik zelf een duik in het ijzige water. Net als mijn nieuwe leven was het een kwestie van wennen, maar toen ik zover was, voelde ik me verfrist en als herboren.

Toen het park dichtging, trok ik dieper het bos in.*[75] Omdat dit een overtreding van de wet was, terwijl ik voor de wet dood was, was het nogal riskant om te worden opgepakt. In het donker kwam ik bij de plek waar Thoreaus huis had gestaan. Er stonden stokoude eiken en esdoorns: die moesten hier al gestaan hebben toen hij hier zelf door de bossen dwaalde.

Morgen zou ik een paar schrijvers benaderen en zien of iemand bereid was om mijn verhaal te helpen vertellen. Maar vannacht zat ik onder de sterren tegen een dennenboom geleund te kijken hoe een enorme uil boven mij op een tak landde. Zijn vleugels hadden net zo'n grote spanwijdte als mijn armen. Vol verwondering keek ik naar het dier. Er borrelde een gevoel in me op: je bent vrij. En ik besefte dat ik, hoe bizar de rest van de wereld ook leek, inderdaad vrij was.

Als ik mijn verhaal gepubliceerd zou krijgen, zou ik eigenlijk mezelf ontmaskeren. Ik moest glimlachen bij de gedachte dat ik iets met betagold gemeen had. Misschien was dat wel de eerste stap naar een echte revolutie: onderzoeken wat je gemeen hebt met mensen die een andere mening hebben. Als ik dit verhaal achter me had gelaten, kon ik me gaan concentreren op wat altijd het allerbelangrijkst voor me was geweest: bijdragen aan een betere wereld. Maar ik hoefde geen miljoenen mensen meer toe te spre-

*

[75] Ik had geen auto, dus mijn bezittingen konden me niet verraden.

ken om de beschaving op een hoger plan te brengen; je kon ook iets bijdragen door mensen die honger hebben een kop soep aan te bieden. Of iemand je pen lenen, glimlachen naar een uitgeputte serveerster, of de oude man voor je bij de kassa rustig zijn boodschappen laten inpakken.

Ik herinnerde me een artikel dat ik ooit had gelezen tijdens mijn antropologische fase. Daarin werd een 'primitieve' stam beschreven waar ze geen dokter of medicijnman hadden. Als er iemand in het dorp ziek was, dan ging hij of zij midden in de kring staan, omringd door de andere mensen uit de gemeenschap. De zieke moest de volgende vraag beantwoorden: 'Is er iets onuitgesproken gebleven?' Soms zaten de mensen daar wel uren- of dagenlang, of zo lang als nodig was, tot de zieke de moed had om te vertellen wat hij had verzwegen. Want daardoor was hij natuurlijk ziek geworden. In deze cultuur zonder dokter was het genezingspercentage 98 procent. Terwijl ik naar de uil zat te kijken, dacht ik na over dit verhaal. Ik was 'doodgegaan' zonder laatste woorden, woorden die misschien mijn leven hadden kunnen redden. Ik had ook meteen tegen Beth kunnen zeggen wat ik voor haar voelde, in plaats van haar als Larry te verleiden, als een soort cyber-Cyrano de Bergerac. Ik had serieus kunnen proberen om mijn mening over consumentisme met Peter te bespreken. Of, en daar ging het natuurlijk echt om, ik had hem eerlijk kunnen zeggen dat ik nog in geen vijftig mensenlevens voor Katherine zou kunnen voelen wat ik voor mijn moeder voelde, en dat haar bekrompen interesses een aanfluiting waren vergeleken bij alles wat mijn moeder belangrijk had gevonden. Ik had de mensen recht in hun gezicht kunnen zeggen: ik vind je aardig, je bent leuk, maar LAAT ME ALSJEBLIEFT HEEL EVEN MET RUST, in plaats van me te verbergen achter een schermnaam. Alle preken van Larry kwamen uit zijn hoofd. Misschien moest zijn hart, mijn hart dus, ook eens wat zendtijd krijgen.

Het was vast de geest van Thoreau die me beschermde, want die hele nacht zag of hoorde ik geen enkele boswachter. Langzaam, en met een helderheid die je alleen kunt bereiken tijdens een spirituele overwintering, groeide het besef dat deze onmogelijke situatie wel eens een zegen zou kunnen zijn.

Het leven had me een nieuwe kans gegeven. Nu was ik in staat om onder woorden te brengen wat onuitgesproken was gebleven en kon ik mijzelf genezen voor het oog van mijn dorpsgenoten. Ik had geprobeerd de wereld om mij heen te verbeteren, zonder eerst mijn innerlijke wereld een opknapbeurt te geven. Een onvergeeflijke fout. Hoe was het mogelijk dat iemand die bezeten was van wiskunde en logica zoiets over het hoofd had gezien?

Gedurende deze waterval van gedachten bleef de uil boven mijn hoofd zitten. Het was hier bepaald geen Bloomingdale's, maar ik kon mijn moeders aanwezigheid hier sterker voelen dan ooit tevoren. Ik stelde me voor dat mijn moeder en Henry David samen over het astrale vlak rondzweefden en het hadden over vochtinbrengende crème en over houthakken, en ik barstte in lachen uit. Voor het eerst in weken ontspande mijn lichaam zich, en ik wist dat mijn leven verder zou gaan.

Ik kon *echt* de wereld veranderen.

Alleen zou ik deze keer bij mezelf beginnen.

Zou dit gemakkelijker zijn of juist moeilijker?

Ik keek naar de maan en dacht na over deze vraag, tot ik onder de sterren in slaap viel.

epiloog

'Schrijf daarom op wat je gezien hebt, wat er nu is en wat hierna zal gebeuren...'

Openbaring 1:19

'Vergeef het mij als ik onduidelijk ben, want mijn bezigheden kennen meer geheimen dan die van de meeste andere mensen. Toch houd ik ze niet moedwillig verborgen: ze zijn er onlosmakelijk mee verbonden. Ik wil u graag alles vertellen wat ik ervan weet, en zal nooit "Verboden toegang" op mijn deur zetten.'

Walden

Henry David Thoreau

{*}

Mijn redacteur en ik hebben ons eerste verschil van mening over het boek. Zij houdt vol dat ik het onder mijn eigen naam moet publiceren als fictie, terwijl ik vind dat het Josh' verhaal is en dus als non-fictie moet verschijnen, en onder zijn eigen naam. Josh zegt dat het hem niet uitmaakt, zolang zijn verhaal maar naar buiten wordt gebracht.

In eerste instantie had ik tegen hem gezegd dat ik hem wilde helpen om het manuscript gepubliceerd te krijgen, want ik vond dat ik dat moest doen. Maar nu het boek persklaar is, wou ik dat ik hem meer hulp had aangeboden. Mijn moederlijke instincten komen boven, en ik vraag me af of alles wel goed met hem gaat, of hij een dak boven zijn hoofd heeft, en genoeg te eten. De pseudocide van Josh keur ik af, en als ouder twijfel ik voortdurend of ik Peter Swensen zal bellen om hem te vertellen dat Josh nog leeft. Peters telefoonnummer ligt op mijn bureau, naast mijn foto van John Lennon. Uiteindelijk besluit ik het niet te doen, omdat het een schending van Josh' privacy zou zijn. Maar ik hoop dat Peter *The Gospel According to Larry* ergens in een boekwinkel zal tegenkomen en dan zelf zijn conclusies zal trekken. Ik las een berichtje in de *Boston Globe* dat hij en Katherine onlangs getrouwd zijn. Ik hoop dat ze gelukkig worden samen.

Voor deze epiloog heb ik verschillende mensen geïnterviewd, maar ik heb besloten om de interviews niet in het boek op te nemen. De enige die ik echt graag had willen spreken was Beth, maar die was een bijeenkomst aan het organiseren over de rechten van arbeiders in de derde wereld en zou pas na de verschijningsdatum terug zijn in de Verenigde Staten. Larry heeft ze achter zich gelaten, maar niet zijn gedachtegoed.

Ik ga langs bij de make-upafdeling van Bloomingdale's om Marlene te ontmoeten. 'Ik mis mijn Joshy wel hoor,' zegt ze. 'Er komt nu nooit meer iemand langs voor een praatje.' Ik koop een lichtbruine lipstick, ga op de stoel zitten en wacht. Geen van de voorbijgangers zegt iets.

Op een zaterdagmiddag komt er een vrouw bij me aan de deur, die zich voorstelt als Tracy Hawthorne.

Ik corrigeer haar. 'U bedoelt zeker betagold?'

Ze zegt dat ze van een kennis in de uitgeverswereld iets heeft gehoord over een nieuw boek over Larry, dat binnenkort uitkomt. Ik sta haar te woord in het portiek en laat haar niet binnen. Ik antwoord dat het gerucht best eens waar zou kunnen zijn.

'Als hij nog leeft, dan wil ik het weten,' zegt ze. 'Daar heb ik *recht* op.'

Eigenlijk wil ik vragen of ze niets beters te doen heeft, maar ik zeg alleen dat ik niets over Larry weet. 'Je hebt de verkeerde voor je,' zeg ik. 'Ik schrijf fictie.'

Ze stapt weer in de taxi die nog staat te wachten, en rijdt weg. Ik heb haar nooit meer gezien.

Larry's werk blijft mijn leven op verschillende manieren beïnvloeden. In een paar weken tijd heb ik mijn huis van boven tot onder opgeruimd, met als resultaat drieëntwintig zakken met spullen die mijn man, mijn zoon en ik niet meer nodig hebben. Hoewel ik onze bezittingen niet tot vijfenzeventig heb gereduceerd, voel ik me toch een stuk lichter en minder belemmerd door al die rotzooi. Als ik ga winkelen, wat ik zelden doe, vraag ik mezelf tegenwoordig af of het voorwerp dat ik wil kopen het echt waard is om in mijn leven te worden geïntroduceerd. Negen van de tien keer is dat niet het geval, en dan leg ik het met een glimlach weer terug in de schappen.

Ik besteed ook iets minder tijd aan het lezen van roddelbladen als ik ergens in een wachtkamer zit. Ik ben me weer eens gaan afvragen waarom ik schrijver ben geworden, en houd een innerlijke dialoog met mezelf. Schrijf ik om mezelf te uiten, om ideeën in te brengen in het collectieve denkproces? Of alleen om boeken te verkopen en om beroemd te worden? Na lang wikken en wegen besluit ik om geen foto van mezelf op het omslag van mijn boek te zetten.

Ik ga zelfs zo ver dat ik op een dag de fiets pak – ik moet er eentje lenen – en naar de Sagamore Bridge rijd. Als ik eroverheen fiets, ben ik verstijfd van angst. Ongelofelijk dat Josh hier zelfs maar een *geveinsde* zelfmoordpoging heeft durven doen. Ik denk terug aan de eerste keer dat ik hem ontmoette, en hoe hij Thoreau stond te citeren terwijl ik mijn boodschappen inlaadde. Er komt nog een andere uitspraak van Thoreau naar boven: 'Je moet in het heden leven, je op elke golf laten meevoeren, je eeuwigheid vinden in elk moment.' Ik realiseer me dat ik nu lang genoeg met Larry ben opgetrokken. Dat het nu *mijn* beurt is om verder te gaan. Ik sta op de brug met de wind in mijn rug.

Mijn man vindt me erg afwezig. 'Anders ben je altijd helemaal uitgelaten als je een boek hebt afgerond,' zegt hij. 'Gaat het wel goed met je?'

Ik zeg dat er niets aan de hand is, en probeer het ongemakkelijke gevoel dat het boek af is te onderdrukken. De laatste keer dat ik Josh zie, draagt hij een T-shirt met de tekst: 'SLECHTE MENSEN ZIJN STOM' en zit hij op een servet met getallen te goochelen.

Hij haalt een stapel papier uit zijn jas. 'Moet je horen,' zegt hij. 'Van Moeder Teresa: "Wij doen geen grootse dingen; alleen kleine dingen, met veel liefde... Wacht niet op leiders, maar doe het alleen, van mens tot mens."' Hij glimlacht van oor tot oor. 'Mooi hè?'

Hij ziet er gelukkiger uit dan iedereen die ik ooit heb gekend.

Vandaag maken mijn zoon en ik een wandeling door het Arboretum. Als we bij de rododendrons zijn, weet ik dat ik klaar ben om aan een volgend boek te beginnen.

Tijdens het lopen horen we een vliegtuig, en ik krijg een raar déjà vu over Larry. Was er in *zijn* verhaal ook niet een moment waarop hij een vliegtuig hoorde? Ik houd mijn hand boven mijn ogen tegen de zon en kijk omhoog.

Het vliegtuig maakt systematische loopings en laat een wit spoor achter. Mijn zoon kijkt omhoog en wijst naar de letters die zich aan de hemel hebben gevormd.

'Wat staat daar?' vraagt hij.

Ik lees de woorden voor. 'Larry kom terug.'

Mijn zoon spelt de letters en probeert de woorden zelf te lezen. 'Wie is Larry?'

Ik vertel dat Larry een jongen is die ik een keer heb ontmoet. Hij deed aan yoga, was gek op getallen en wilde niets liever dan de wereld verbeteren.

Mijn zoon kijkt me aan en glimlacht. 'Dat verzin je zeker.'

Ik haal mijn schouders op en vervolg het pad. Na een poosje gaan we onder een groepje naaldbomen zitten – komt die tekst nou van

Larry of van mij? – en we kijken omhoog naar het blauwe schildersdoek van de natuur. Mijn zoon probeert de woorden nogmaals te lezen, letter voor letter. Ik haal diep adem en doe met hem mee, en ik zie hoe het woord *Larry* vervaagt en ten slotte oplost in de lucht.